Mortellement vôtre

SUSANNE JULIEN

Mortellement vôtre

ÉDITION DU CLUB QUÉBEC LOISIRS INC.

Dépôt légal — Bibliothèque nationale du Québec, 1995
ISBN 2-89430-175-8
(publié précédemment sous ISBN 2-89051-595-8)

Imprimé au Canada

À mon père
qui m'a fait aimer
sa ville natale,
Québec.

1

Seul face à lui-même, il scrute son reflet et essuie rapidement les dernières traces de crème à raser qui parsèment ses joues. De ses mains aspergées d'eau de Cologne, il se caresse lentement le menton, le cou et le torse; le parfum monte à ses narines, éveille ses sens. Il soigne ensuite son épaisse moustache, en vérifie la coupe et la courbe. Enfin satisfait du résultat que lui renvoie le miroir, il sourit à son image tout en enfilant une chemise blanche, d'une propreté impeccable. Son sourire devient plus arrogant tandis qu'il fixe son faux col empesé.

Avec sa figure énergique et son physique vigoureux, il se croit irrésistible. Séduire les femmes, les voir succomber à son charme et leur susurrer de faux compliments à l'oreille tandis qu'il leur mordille le cou allument chez lui un plaisir sans pareil. Il éprouve alors le sentiment de posséder pleinement, de dominer un adversaire, d'accéder au pouvoir absolu sur un être. Celle qu'il rejoindra ce soir ne fera pas exception à la règle; comme les autres, elle se soumettra.

Il l'imagine déjà, sa tête rousse rejetée vers l'arrière, exposant ainsi la peau veloutée de sa gorge à son seul désir. Se doute-t-elle qu'elle lui offrira bien davantage? En rapace, il prendra tout, sa chair, sa jouissance, son souffle, ses illusions. Il lui donnera si peu en échange.

Son regard glisse vers le collier suspendu à la tête de lit. Le mince cordon de cuir, où est attachée une breloque banale, un éventail argenté, s'enroulera bientôt autour du cou de l'innocente, comme un serpent qui attrape une proie.

Un agréable frémissement naît au bas de son ventre et remonte par saccades jusqu'à son cerveau. Secoué par cette volupté anticipée, il ferme les yeux pour ne rien perdre de ce délice. Quand il les ouvre, le calme est revenu en lui. Seul son regard garde un éclat de fauve prêt à la chasse. Mais il n'est pas encore temps de rabattre le gibier.

Cette nuit seulement, lorsque les braves gens dormiront du sommeil du juste, il pourra se rendre à la gare et s'amuser. À sa façon. Pour passer le temps d'ici là, il feuillette négligemment le journal *Le Soleil* du mercredi 17 septembre 1907. L'article sur la chute du pont de Québec finit par l'absorber complètement.

En y repensant à présent, Victor ne saurait expliquer par quel cheminement cette idée lui est venue. Ce qui lui apparaît évident en ce moment semblait invisible moins d'une heure auparavant. Il croit enfin savoir à quelle porte frapper pour obtenir un emploi.

Il quitte la terrasse Dufferin, d'où il contemplait paresseusement le fleuve qui s'étire au pied de Québec, pour aller se changer. Si son costume du dimanche convient pour la rentrée universitaire, il n'est pas approprié au poste qu'il convoite. Transmis en héritage, cet habit noir confectionné sur mesure pour son père à l'occasion de son mariage, vingt ans plus tôt, dégage une odeur tenace – et embarrassante – de boules à mites. Ce fâcheux parfum résulte d'une aversion maladive de feu tante Emma pour les insectes de toutes espèces.

À grands pas, il descend la côte de la Montagne et longe la falaise jusque chez lui. La maison du 48, Sous-le-Cap, justement à l'ombre du Cap-aux-Diamants, est sombre et humide. L'unique fenêtre de sa médiocre chambre au deuxième lui donne une vue imprenable sur les entrepôts du port, mais peu lui importe. Le temps qu'il passe dans ce logement insalubre se résume à quelques heures de sommeil par nuit, contrairement à la plupart des autres occupants, ou plutôt des occupantes.

La pension de madame O'Brien est renommée auprès des matelots et de certains touristes pour l'accueil chaleureux des jeunes filles qui y logent. À son arrivée dans l'établissement, il y a près de six mois, Victor a été choqué par l'activité bourdonnante du premier étage mais, depuis, il en est venu à accepter cet état de choses comme presque normal. Il entretient avec ses voisines des rapports distants, mais polis, en se disant qu'après tout elles ne font que gagner leur vie. Les emplois sont rares et il est bien placé pour le savoir.

Il fonde d'ailleurs tous ses espoirs sur le projet qu'il a conçu. Après avoir enfilé en vitesse son habit de tous les jours (en solide toile grise et aux coudes un peu trop lustrés par l'usure), il contourne la haute-ville pour se rendre devant l'imposante bâtisse qui meuble le coin des rues des Prairies et Saint-Roch. D'un geste nerveux de la main, il place ses cheveux et rajuste son veston avant de monter les marches de pierre et d'accéder au hall d'entrée de l'hôpital Civique.

Les indications très précises du gardien le conduisent au sous-sol, troisième porte à gauche. Sur le panneau vitré, il peut lire en grosses lettres noires: **MORGUE DE QUÉBEC**. Réprimant ses incertitudes, il entre dans le bureau, une espèce de vestibule donnant accès à des salles exiguës situées de part et d'autre d'un long corridor. Seuls ceux qui peuvent y motiver leur présence y sont admis.

L'employé de service, penché sur le griffonnage d'un large cahier, lève la tête pour dévisager l'intrus:

— Êtes-vous un parent du type qu'on a repêché dans le fleuve ce matin? C'est pour l'identification?

— Non, je ne connais personne qui soit mort dernièrement. Je...

— Alors, vous vous êtes trompé d'étage, s'impatiente l'homme en baissant le nez sur son travail. Les malades, c'est en haut.

Têtu, Victor ne se laisse pas impressionner par ces paroles qui ne visent qu'à le chasser. Il tente le tout pour le tout et décide d'utiliser une information lue dans le journal.

— Je désire parler au responsable de la morgue, monsieur Hubert Lusignan.

Devant une requête aussi précise, l'employé ronchonne:

— Il est occupé... mais je vais voir!

À regret, il soulève son long corps osseux et, en traînant les pieds, va frapper à la dernière porte du couloir. Victor ne perçoit que le son étouffé d'une conversation. Des secondes interminables s'écoulent avant qu'un geste de la main l'invite à s'approcher.

Quand il passe près de lui, l'homme annonce:

— C'est ce jeune-là qui veut vous voir, patron!

— Merci, Siméon. Fermez la porte.

Celui qui a donné cet ordre n'est pas seul. En entrant dans la pièce, Victor fait face à deux hommes qui se tiennent debout de chaque côté d'une table étroite recouverte d'un drap blanc. Sous cette pièce de toile immaculée, Victor reconnaît la forme d'un corps immobile. Comme pour prouver que ce qu'il devine là est bien un cadavre, un pied nu aux orteils poilus dépasse à une extrémité du drap.

— Vous désirez? Monsieur?...

Victor est intimidé par le ton sec du patron. Il devine que cet homme, probablement le directeur Lusignan, déteste perdre son temps. Sa barbe poivre et sel et ses tempes grisonnantes annoncent la quarantaine avancée. De grandeur et de taille moyennes, il n'a de remarquable que son regard inquisiteur qui fixe intensément son interlocuteur. L'entrée en matière que Victor s'était préparée s'envole à l'instant même. Pris de court, il improvise donc:

— Victor Dubuc. Je... je suis venu vous offrir mes services.

— Vos services! Et pour quoi faire?

— C'est que, se ressaisit Victor, j'ai lu que vous étiez débordé, surtout depuis l'accident du pont. Alors, je me suis dit que vous auriez peut-être besoin d'hommes. Pour ramasser ou s'occuper des cadavres. Je n'ai pas vraiment d'expérience dans le domaine, mais je suis disposé à apprendre. De plus, je suis prêt à travailler le soir ou même la nuit. Et l'ouvrage ne m'effraie pas. Je peux vous fournir des références de mon dernier emploi.

Ayant réussi à débiter plus ou moins fidèlement son petit discours, il se tait et attend le verdict. Anxieux, il se demande ce qu'il aurait pu ajouter pour convaincre Lusignan qui l'examine de la tête aux pieds d'un air dubitatif. Ce blondinet à peine sorti de l'adolescence a-t-il les nerfs assez solides pour l'emploi? D'un geste brusque, sans mise en garde, le directeur rejette le drap en arrière, découvrant subitement une partie du cadavre. La lumière éclatante suspendue au-dessus met en évidence un visage bouffi plaqué de rouge par endroits. Le regard de Victor s'attarde surtout à la peau blafarde et teintée de vert au centre de la poitrine.

Il redresse la tête et rive ses yeux dans ceux du directeur, cherchant à contrôler ses émotions. Le test ne le surprend pas vraiment. Il s'attendait bien à devoir démontrer qu'un mort ne l'impressionne pas et il s'y était mentalement préparé. En fait, cela ne représente qu'un échantillon de ce à quoi il aura à faire face durant ses cours.

Lusignan ne montre aucun signe d'approbation et pousse plus avant l'examen:

— Approchez! Pensez-vous être capable de soulever ce noyé avec moi pour le déposer sur la civière? Prenez-le par les aisselles.

Victor refoule la vague de répugnance qui l'envahit et s'exécute en glissant ses mains sous les épaules à la peau flasque et glacée. Ses doigts tâtent un corps boursouflé et inerte qui n'oppose aucune résistance. Son dégoût l'abandonne peu à peu tandis qu'il force pour transporter le mort. Ce n'est déjà plus un être humain qu'il touche, mais un objet quelconque.

Toujours aussi impassible, Hubert Lusignan replace le drap sur le cadavre tout en questionnant avec froideur:

— Votre âge?

— Dix-neuf ans.

Le patron scrute le visage juvénile d'un regard sceptique. Pour se vieillir un peu, Victor aimerait bien porter la moustache, mais, à sa profonde déception, le milieu de sa lèvre supérieure, juste sous l'arête nasale, refuse obstinément de se couvrir de poils. La délicatesse de ses traits, son nez court et mince, sa bouche nettement dessinée et ses joues lisses mettent sa jeunesse un peu trop en évidence. Seuls, ses yeux bleu foncé et son air décidé témoignent d'une certaine maturité.

— Vous avez parlé de références. Que faisiez-vous?

— Débardeur. J'ai dû renoncer à cet emploi parce que les heures de travail ne me permettaient pas de suivre mes cours.

— Vos cours? relève le second homme, rompant son silence.

Les mains dans les poches de son sarrau blanc, il a observé la scène d'un air mi-amusé, mi-sérieux. D'une stature légèrement au-dessus de la moyenne, il arbore l'allure décontractée d'un homme jeune et sûr de lui. Victor l'a reconnu depuis déjà un bon moment. Ce matin, dans la grande salle du Séminaire, avec les onze autres médecins expérimentés qui composent l'ensemble du corps professoral, il a souhaité la bienvenue aux nouveaux étudiants lors d'une cérémonie officielle. Dans sa toge empesée, il avait fière allure lorsqu'il a été présenté comme le titulaire de la médecine légale.

— Ceux que je suis à la faculté de médecine, docteur Sirois, répond Victor sans hésitation.

Le professeur hausse un sourcil. Ses lèvres s'étirent dans un sourire railleur qui lui donne une expression hautaine. C'est d'un ton persifleur qu'il reprend:

— Vous fréquentez la faculté de médecine! Vraiment! Alors que signifie votre présence ici? Craignez-vous manquer d'occupations? C'est un horaire chargé que vous planifiez là: toute une journée à l'université, de longues études et des travaux pratiques, plus huit heures à la morgue! Voilà ce que j'appelle un défi de taille! La formation que vous entreprenez exige du temps. Et vous désirez gaspiller votre énergie à augmenter votre pécule de quelques sous! Vos parents, qu'en pensent-ils? Ils sont d'accord pour que vous dilapidiez ainsi votre talent?

Gêné et insulté par cette charge inattendue, l'étudiant se défend plus violemment que nécessaire.

— Je n'ai pas à justifier mes actes devant qui que ce soit, même ma famille. Mais si ça peut vous rassurer, sachez que ce n'est pas pour le plaisir de me payer du luxe que je sollicite cet emploi, mais parce que j'en ai besoin.

Cette dernière phrase lui a échappé. Il ne discerne que trop tard ce qu'elle implique: un aveu de pauvreté. Ne pouvant l'effacer, il foudroie le docteur d'un regard plein de bravade. Tant qu'à être mouillé, aussi bien plonger jusqu'au cou.

— J'ai besoin d'argent pour vivre et poursuivre mes études. Je sais pertinemment le surplus d'efforts que ce travail implique. Mais je suis prêt à tenter le coup. Je veux devenir médecin et je suis décidé à y parvenir.

Il se retient à temps de préciser: envers et contre tous. S'il désire que les choses soient explicites, il n'a, par contre, pas envie que ce professeur devienne un ennemi personnel. Celui-ci se montre conciliant et admet sans toutefois perdre son sourire narquois:

— Ce n'est pas à moi de vous dicter votre conduite. Puisque vous connaissez les difficultés à affronter, j'imagine que vous avez déjà envisagé toutes les facettes de votre situation pour le moins inhabituelle.

Inhabituelle! Victor n'en est que trop conscient! Contrairement à lui, ses camarades de classe n'ont pas à se préoccuper de détails aussi triviaux que le paiement du loyer ou le raccommodage d'une chemise fortement usée. Non, ceux qu'il côtoie à la faculté sont issus de familles aisées, fils de médecins ou de notables depuis plusieurs générations.

— Bon! En ce qui me concerne, intervient Hubert Lusignan, vous tombez à pic. Deux bras de plus feront mon affaire! Surtout qu'un de mes hommes de nuit a démissionné dernièrement. Paraît qu'il a trouvé mieux ailleurs! Et Siméon commence à prendre de l'âge... Je vous embauche à l'essai pour deux semaines, à une piastre la nuit. On augmentera de quinze sous si vous persévérez au-delà.

Une bouffée de soulagement gonfle la poitrine de Victor. Il respire mieux, libéré du fardeau qui l'écrasait encore deux minutes plus tôt. C'est à peine s'il entend les dernières recommandations du directeur.

— Vous débutez ce soir, à minuit. Siméon vous entraînera.

Il n'est pas aussitôt sorti de la pièce que le docteur Sirois commente d'une voix sentencieuse:

— Vous voilà avec un nouvel employé, mais je perds probablement un étudiant. Il ne pourra pas endurer longtemps la cadence qu'il veut s'imposer. Il n'aura pas le choix d'abandonner ses études.

Lusignan hoche la tête en songeant que c'est dommage. L'audace et l'ambition de ce garçon lui plaisent, car elles lui rappellent ses propres espoirs de jeunesse. Lui-même parti de presque rien, simple charroyeur, n'a-t-il pas atteint un poste relativement élevé? Se gardant de détromper le médecin, il parie silencieusement sur les chances de réussite de l'étudiant.

Enfoncé dans une porte cochère, il guette la fenêtre du rez-de-chaussée de la façade opposée. Il devine sa présence dans la pénombre de la pièce. Sa longue chevelure de feu flamboie lorsqu'elle s'approche de la lumière. En ce moment, elle a dû passer la robe qu'il lui a fait parvenir.

D'imaginer sa poitrine moulée dans le satin vert et écarlate excite son désir. Il a choisi ce modèle en se disant que le décolleté audacieux plairait sûrement à la petite. Ce cadeau d'un goût tapageur convient admirablement à ce qu'il prévoit accomplir cette nuit. Ainsi attifée, la gamine sera parfaite. À tous points de vue!

La main dans la poche de son veston, il fait glisser entre ses doigts le collier de cuir. Ce présent-là, il préfère l'offrir en personne, au bon moment. Il est encore trop tôt. Vivement la nuit!

En quittant la morgue après son entrevue, Victor a brièvement examiné l'employé de service qui doit l'initier à ses nouvelles tâches. Aussi, lorsqu'il revient en pleine nuit, est-il surpris de se trouver en face d'un homme qui doit approcher les soixante-dix ans.

— Monsieur Siméon n'est pas ici?

— Que si! Il est drett' devant toi, p'tit gars! Siméon Paquet, c'est moi. L'autre, c'est mon jeune, junior. S'occuper des morts, c'est de famille. Avant moi, mon père aussi relevait les cadavres.

Son visage souriant, plissé dans un filet de rides, est rehaussé d'une tignasse blanche comme neige. Son dos voûté et affaissé contraste bizarrement avec ses longs membres musclés.

Infatigable, il entraîne derrière lui un apprenti attentif à ses explications et plein de bonne volonté. Ce travail, Victor y tient et, pour le conserver, il se promet de satisfaire les demandes du directeur, surtout en matière de propreté. En effet, Lusignan exige que sa morgue soit impeccable et exempte de toutes odeurs repoussantes. Pour y parvenir, les deux employés passent une bonne partie de la nuit à frotter et à nettoyer.

Ensuite, ils installent cinq cadavres dans des caisses de bois pour leur transport en train. Les corps de ces ouvriers, des Amérindiens victimes de l'effondrement du pont, doivent partir aux petites heures du matin pour leur réserve de Caughnawagha.

En accomplissant ces tâches, Victor se rend compte que l'ouvrage s'avère moins pénible qu'il ne l'avait d'abord imaginé. De plus, grâce à la bonhomie de Siméon, il n'a pas l'impression d'être constamment sous surveillance et ses appréhensions s'estompent graduellement.

— À c't'heure, p'tit gars, faut y aller! décrète Siméon en enfilant sa veste. Nos clients ont un train à prendre. Arrive!

Sitôt les deux chevaux attelés à la voiture, les cercueils y sont empilés. D'autorité, le vieil homme prend les rênes tandis que Victor s'assoit à ses côtés en demandant:

— Ça ne pose pas de problème de laisser la morgue sans personnel?

— Que veux-tu qu'y arrive? Crains-tu que nos locataires se sauvent?

— Non, évidemment, mais si quelqu'un téléphonait ou voulait identifier un cadavre?

— En pleine nuit! Ben, voyons, on n'a jamais de visiteurs. S'il y a un mort à quérir que'que part, le gendarme nous attendra dans le bureau. La porte est toujours ouverte.

Roulant lentement dans la nuit fraîche qui s'étiole, ils gardent le silence jusqu'à la gare du Palais. La masse sombre de cette reproduction miniaturisée de manoir victorien se devine à peine sur le ciel. Seules, les fenêtres éclairées sont nettement visibles de loin. Évitant l'entrée principale, Siméon dirige les bêtes directement vers l'arrière, là où toutes les marchandises doivent être déposées pour l'embarquement.

Le chef de gare, jovial et grassouillet, les accueille:

— Tiens, Siméon! Tu as encore un nouveau. J'espère pour toi qu'il a l'estomac plus solide que l'autre. Bof! Du moment qu'on a de l'aide, hein!

— Pour ça, je suis servi. Il fait sa part, affirme Siméon en tapant dans le dos de son assistant. Victor, v'là Timothé Jolicœur. C'est lui qui s'occupe de nos colis spéciaux.

Victor salue le chef de gare qui le regarde à peine. Le jeune homme se rend compte que Timothé ne voit aucun intérêt à faire plus ample connaissance. Mais le gros homme se montre beaucoup plus chaleureux envers Siméon.

— On a un peu de temps devant nous avant l'arrivée du train, viens que je te signe la commande et la facture. Et j'ai deux, trois bonnes nouvelles pour toi, si tu veux y goûter..., insinue-t-il d'un clin d'œil complice. Tu vas voir, mon vieux, c'est de la qualité numéro un! En attendant, Robitaille va décharger avec ton gars.

En prononçant ces derniers mots, il se tourne vers un homme qui déambule sur le quai, des papiers à la main, l'air distrait, presque ennuyé.

— Hé! On a besoin de tes muscles, ironise Jolicœur. Viens donner un coup de main au nouveau pour la livraison spéciale.

La démarche encore plus indolente, Robitaille acquiesce sans entrain à la demande. Il dépose sa paperasse sur un banc et jette à Victor un regard dédaigneux. «Il me trouve un peu trop squelettique à son goût», songe ce dernier qui a remarqué le physique d'athlète que Robitaille affiche fièrement. Celui-ci agit avec une lenteur calculée pour permettre à Jolicœur et à Siméon de disparaître à l'intérieur de la gare.

Quand il est certain de ne pouvoir être entendu par son supérieur immédiat, il dit enfin, faussement déçu:

— Désolé, mais le patron a oublié que j'avais déjà une tâche importante à finir.

— Il faut pourtant que les caisses soient embarquées dans le train.

— Oui, oui. Tantôt! Pourquoi forcer deux fois? Quand le train sera arrivé, on passera directement les cercueils dans le wagon. En attendant, repose-toi! Je reviens tout de suite.

Il lui tourne le dos et traverse le terrain vague de l'autre côté des rails. Son excuse est probablement valable, mais Victor ne peut s'empêcher de penser que ce type se croit trop beau gosse pour s'abaisser à travailler.

Robitaille lisse sa moustache soignée. À quelques pas des hangars qui longent le bout du terrain de la gare, il se rappelle qu'il a oublié ses formulaires sur le banc. Il hausse les épaules en souriant, car ces papiers ne lui servent à rien, sauf de prétextes auprès du chef de gare.

D'une main ferme, il pousse la porte de la dernière cabane. Dans la pénombre, il la devine. Son parfum bon marché l'attaque et le provoque. Un frisson de plaisir lui parcourt le dos, des reins jusqu'à la nuque, son sexe se gonfle dans un frémissement incontrôlable. Une excitation impatiente l'envahit. Il s'évertue à freiner son désir subit pour prolonger ce moment divin. Il goûte la jouissance de l'attente. Ses yeux s'habituent à la noirceur et il entrevoit la chair nue, offerte à ses sens. Alors, sans un mot, il cède aux gloussements langoureux de la fille et à la chaleur de son corps.

2

Dans une zone d'ombre que le soleil matinal n'a pas encore chassée, un amas de vêtements rubis et émeraude s'étale sur la voie ferrée. Armand Grondin soulève sa casquette et essuie son front avec le dos de sa manche, non parce qu'il a chaud (c'est plutôt frisquet) mais pour dissimuler le haut-le-cœur qui lui monte à la gorge. Agent de police depuis moins d'un an, c'est la première fois qu'il affronte un cas semblable. La fille – il ne pourrait même pas déclarer si elle est jolie tellement il n'ose la regarder – gît derrière lui, la tête et un bras sectionnés.

Tout en maudissant le hasard qui a guidé ses pas jusqu'aux abords de la gare du Palais, lors de sa dernière ronde, le jeune policier apostrophe le chef de gare:

— Qu'est-ce qu'ils font à la morgue? C'est pourtant à deux pas d'ici!

— Deux pas, deux pas..., proteste Jolicœur. Robitaille essaie de les rejoindre, mais faut au moins leur laisser le temps d'y arriver, à la morgue, et de revenir.

— Comment ça «revenir»?

— Ben! Ils étaient ici juste avant qu'on découvre la fille. Ils venaient pour livrer des cadavres, des Indiens qui se sont tués dans la chute du pont. Siméon va bougonner. Faire deux fois de suite le même voyage, lui qui pensait que sa journée était finie.

— Moi aussi, je pensais la même chose, marmonne Grondin. Fallait que ça arrive à cette heure-là! Tous les officiers préparent leur rapport de la nuit, aucun d'eux ne voudra se déplacer maintenant. Et ceux du matin, vous ne les verrez pas avant sept heures et demie.

Du bout du pied, il gratte nerveusement le gravier qui longe les rails. Il observe la victime à la dérobée et, à chaque coup d'œil, il prend des notes dans son calepin. Robe légère, rouge et verte, sans manches. Cheveux roux emmêlés, visage très fardé. Victime petite et mince. Environ à six cents pieds du bâtiment principal.

Ensuite, à coups de crayon expéditifs, il illustre les lieux et la pièce à conviction principale: la morte. Tout le corps et les jambes sont à l'extérieur de la voie ferrée, orteils pointés vers le bassin Louise, seuls la tête et le bras droit sont entre les deux rails, direction Montréal. Son croquis, sans prétention, est, dans l'ensemble, assez fidèle à la réalité. Plus il se concentre sur son dessin, plus sa nausée disparaît.

Relevant les yeux, il aperçoit Jolicœur qui attend, l'air embêté. Prenant une voix qu'il veut autoritaire, il résume les renseignements qu'il a déjà obtenus:

— Donc, à cinq heures trente-cinq, le train entre en gare. Vers six heures, vous découvrez la victime en vous rendant aux hangars. À propos, à quelle heure le train précédent est-il parti?

Sans hésitation, comme s'il récitait une leçon apprise par cœur, Timothé déclame:

— Dans la soirée, à onze heures cinquante-six! C'est un départ quotidien qui arrive à Montréal au petit matin. Tout comme celui qui est en gare présentement est parti de Montréal dans la veillée. Les hommes d'affaires et les professionnels préfèrent cet horaire. Ils peuvent se reposer durant le voyage grâce aux wagons-lits. C'est un peu plus cher qu'un siège ordinaire, mais ça en vaut la peine. Surtout à cause des nombreuses chambres individuelles. On dispose de tout le luxe et du confort d'un hôtel avec le service d'un valet de chambr...

— Ça va! Ça va! Je n'ai pas besoin de tous ces détails. Et si cette fille avait été frappée par le train d'hier soir, celui de onze heures cinquante-six, vous croyez que vous vous en seriez aperçu durant la nuit?

— C'est certain! À tout moment, un employé peut traverser le terrain. Alors, à coup sûr, quelqu'un serait tombé dessus.

— Donc, l'accident a dû se produire tout à l'heure. C'est pourtant à deux pas de la gare! Et vous n'avez rien vu? Rien entendu?

Embarrassé par cette question qui suppose une négligence dans son travail, Jolicœur rétorque:

— On ne peut pas être partout, vous savez. Je finissais de remplir les papiers de la morgue au sujet des Indiens. Du bureau, on voit seulement une partie des rails.

— L'employé de la morgue, Siméon Paquet, était avec vous?

De plus en plus mal à l'aise, Jolicœur toussote:

— Évidemment, lui aussi, il était occupé dans le bureau... mais on est sortis dès que le train s'est arrêté devant le bâtiment.

Comment pourrait-il révéler au policier qu'ils dégustaient tous deux du brandy nouvellement acquis? Il irait sûrement répéter cela à son supérieur et l'information se rendrait inévitablement aux oreilles du directeur de la gare. Jolicœur n'a pas envie de risquer son poste pour une folle qui s'est jetée sous le train.

— Et Robitaille? Où était-il?

— Sur le quai, répond vivement Jolicœur, content de détourner l'attention de ses propres occupations. Il attendait pour placer les cercueils dans le wagon.

— Il n'y avait personne d'autre?

— Germain et Philippe, les deux porteurs de bagages qui se tiennent toujours sur le quai et quelques personnes qui attendaient des voyageurs. Ah! oui, il y avait un autre gars. Il s'appelle comment déjà? C'est un nouveau qui travaille avec Siméon à la morgue.

Grondin prend encore quelques notes et somme le chef de gare de lui amener les deux porteurs de bagages pour qu'il puisse obtenir leur version des faits.

— C'est que... ils sont déjà partis. Dès que les voyageurs quittent la gare, on n'a plus besoin d'eux. Ils ne travaillent pas vraiment pour nous. Disons plutôt que ce sont des indépendants. Ils arrivent quelques minutes avant le train et repartent par la suite avec les pourboires qu'ils ont pu obtenir. Ah! Voilà Siméon!

Le policier soupire de soulagement en apercevant la voiture de la morgue. Il n'est pas mécontent de se débarrasser de ce cadavre un peu trop voyant. Silencieux, il observe les gestes précis du vieil homme qui ramasse la fille et remarque les hésitations de son aide. Celui-ci semble être secoué à la vue de la victime, mais il se ressaisit, et c'est avec délicatesse qu'il enveloppe la tête et le bras dans un drap blanc avant de les placer dans la voiture.

De la main, Grondin leur signifie d'attendre pendant qu'il examine les rails de plus près. Ayant constaté qu'aucun objet ne traîne sur le sol, il se tourne vers Victor, lui demande son nom et passe à l'interrogatoire.

— On m'a rapporté que vous étiez sur le quai à l'arrivée du train. Avez-vous aperçu la fille ou autre chose de particulier?

— Je n'ai vu personne. Enfin, personne sur la voie ferrée. Tout le monde était dans la gare ou sur le quai à ce moment-là.

Son ton est calme et posé. Si la vue du cadavre lui a donné un coup, il s'en est vite remis.

— Ça fait longtemps que vous travaillez à la morgue?

— C'est ma première nuit.

Le policier lui indique les rails d'un mouvement des yeux:

— C'est un bon début!

Victor hoche la tête avec un sourire forcé. C'est toujours la première fois, la pire.

— Et Robitaille? Était-il avec vous?

— Oui, il m'a rejoint sur le quai quelques minutes avant l'arrivée du train. Ensuite, on a transféré les cercueils directement de la voiture au wagon. Pendant ce temps-là, je n'ai plus fait attention aux gens qui nous entouraient.

À quelques pas du policier, Timothé Jolicœur fronce les sourcils, mais garde pour lui ses réflexions, préférant régler ses comptes lui-même. Grondin referme son calepin et le glisse dans la poche de son veston.

— Bon, ça va, vous pouvez emporter le corps, ordonne-t-il. Si on a besoin d'autres renseignements, on sait où vous rejoindre.

Il s'éloigne sans plus se préoccuper d'eux. Avant de pouvoir se reposer de son quart de travail, il doit encore passer au poste et y laisser son rapport. Que va-t-il bien inscrire: suicide ou accident? Peut-être la fille était-elle saoule et s'est-elle endormie à cet endroit si peu confortable? À moins qu'elle n'ait eu l'idée stupide de traverser juste devant le train! Allez savoir, avec l'alcool qui vous brouille les esprits et vous fait perdre la tête. La pauvre! Elle, elle ne pourra plus jamais la récupérer.

— Êtes-vous conscients de votre chance? Savez-vous que vous vivez au début d'une ère nouvelle?

Sous des allures de prédicateur, drapé dans sa toge noire, le professeur emplit l'amphithéâtre de sa présence. Les mystérieux instruments de sa science, piliers de son autorité, s'alignent derrière lui dans de hautes armoires de chêne aux portes vitrées, couvrant tout le pan de mur. Stimulé par la résonance de sa propre voix, il adopte un ton de plus en plus tranchant.

— Il n'y a pas cent ans – que dis-je? – cinquante ans, la médecine était encore à l'état embryonnaire, aux portes de la préhistoire! Aux yeux du peuple, nos prédécesseurs passaient pour de véritables faiseurs de miracles, des guérisseurs aux dons divins, ce qui laissait beaucoup de place aux charlatans. Heureusement, cette époque est révolue. Grâce aux recherches effectuées depuis les dernières années, l'art de la médecine est devenu une science.

Délaissant des yeux l'orateur, Victor se penche sur son cahier pour y noter, en guise de conclusion, sous le code déontologique et la liste des cours des quatre prochaines années:

À l'aube du 20e siècle, la médecine accède enfin à la sagesse grâce aux observations méthodiques du corps humain et de ses pathologies. Deo gratias!

Un regard circulaire sur l'assistance lui signale que les étudiants ne portent pas à leur digne pédagogue tout l'intérêt qu'il mérite. Après trois heures de cours sans interruption, cet éloge des vertus de la médecine moderne a vaincu les limites d'attention de ses camarades de classe. Celui qui est assis de biais avec lui a même déplié un journal sur ses genoux. En étirant le cou, Victor parvient à lire les manchettes: *ENQUÊTE SUR LA CATASTROPHE DU PONT DE QUÉBEC; DÉPUTÉ DE BEAUCE ACCLAMÉ AU CONGRÈS DU PARTI; PROGRESSION DE LA FOLIE EN ANGLETERRE.*

Debout au centre de l'estrade, le docteur Kingsley continue son monologue. Son ton sentencieux, joint à un fort accent irlandais, n'a rien pour captiver l'auditoire. Néanmoins, Victor éprouve un certain respect pour ce petit homme sec, au crâne partiellement dégarni et grisonnant, et à la moustache en bataille. Respect basé sur la prudence. Agressif, sûr de lui, l'enseignant ressemble à un animal sauvage défendant son territoire.

Sans élever la voix, mais en frappant, une fois, du plat de la main sur le lutrin devant lui, il rappelle à l'ordre:

— Messieurs!

Derrière ses lorgnons cerclés d'or, ses yeux gris acier se promènent d'un étudiant à l'autre, scrutant leur visage pour découvrir leurs pensées. Il précise en insistant sur chaque mot:

— Si, pour quelque raison que ce soit, certains d'entre vous ne se sentent pas à leur place à la faculté de médecine, il leur est toujours possible d'effectuer un changement. Nous n'en sommes qu'à la première journée... Le secrétaire de l'université, l'abbé Lépine, se fera un plaisir de vous inscrire dans une autre discipline ou d'accepter votre abandon scolaire définitif.

Ces paroles, comme un catalyseur, redonnent le regain d'attention suffisant pour qu'il puisse clore son cours.

— Relisez soigneusement les règles professionnelles auxquelles sont soumis tous les médecins et demandez-vous si vous êtes prêts à vous y plier!

Sans attendre pour juger de l'effet de son discours, il quitte la salle. Un murmure amusé se propage parmi les jeunes hommes installés dans les gradins. Mais Victor n'a ni le temps ni le goût d'y participer. Il ne songe qu'à aller prendre un repos grandement mérité. Si sa première nuit de travail à la morgue n'a pas été à proprement parler épuisante, elle l'a néanmoins privé de plusieurs heures de sommeil qu'il doit maintenant récupérer.

Ses affaires sous le bras, il sort aussitôt. Au bout du corridor, bloquant l'accès à l'escalier, son enseignant discute vivement avec le médecin légiste.

— Débrouillez-vous, docteur Sirois! Cette année, il m'en faut un plus grand nombre. Nous avons vingt-neuf nouveaux étudiants et...

— Je sais, je sais, réplique d'un ton contrarié celui qui est ainsi interpellé, mais où diable voulez-vous que je me les procure?

— Avec l'effondrement du pont, les cadavres ne devraient tout de même pas manquer! Sur une centaine de morts, il y en a sûrement qui ne sont pas réclamés.

— Il faudrait d'abord tous les récupérer et ce n'est pas le cas. La majorité des corps des ouvriers sont coincés sous des tonnes de métal ou perdus au fond du fleuve. Et pour ceux que l'on a réussi à retirer de cet amas de ferraille, les familles se bousculent à la porte de la morgue pour pouvoir les enterrer dans la plus pure tradition catholique. Alors, il ne faut pas y compter.

— Et les Indiens? insiste impatiemment Kingsley. Il y en avait plusieurs qui travaillaient sur le pont.

— De ce côté-là, aucune chance! Dès que leur origine autochtone est reconnue, ils sont aussitôt expédiés dans leur réserve. Il nous est défendu de toucher à ces cadavres. C'est tabou!

Exaspéré, Kingsley hausse la voix:

— Alors avec quoi mes étudiants vont-ils effectuer leur dissection? Tous les ans, c'est la même histoire. C'est pourtant votre responsabilité. À cause de votre position à la morgue de Québec, c'est vous qui devez nous les fournir.

Victor préférerait ne pas déranger ses enseignants mais, n'ayant pas d'autre voie pour descendre vers la sortie, il s'approche d'eux. Le docteur Kingsley se range de côté, visiblement agacé par l'arrivée de l'étudiant qui se glisse devant lui.

Sirois tente de profiter de cette diversion et s'engage lui aussi dans l'escalier. C'est ignorer la ténacité de son interlocuteur qui le prend en chasse:

— Ces cadavres ont une importance vitale pour mes cours d'anatomie.

La formulation de cette remarque amène un sourire sur le visage du médecin légiste qui, sans s'arrêter, répond sur un ton paternel:

— Je suis au courant de tout cela, mon cher collègue. Vous avez vos problèmes, et moi, les miens. Depuis l'accident du pont, nous sommes débordés à la morgue.

— Justement! Ce pourrait être une excellente occasion pour mettre la main sur du matériel essentiel à l'instruction de nos étudiants.

— Êtes-vous sérieux? Je devrais réclamer illégalement ces cadavres pour répondre à votre besoin de matériel instructif! s'insurge le docteur Sirois, en se retournant vivement.

Victor, qui n'a nullement l'intention d'assister à une prise de bec entre les deux distingués confrères, dévale les dernières marches. Sur ce même élan, il ouvre la porte et se retrouve sur le trottoir.

Dans son empressement, il manque de heurter une jeune fille qui se tient, toute droite, à cet endroit précis. De ses yeux noirs, elle examine celui qui se précipitait ainsi sur elle.

Il s'excuse et s'apprête à poursuivre son chemin.

Elle le retient d'un sourire hésitant qui lui creuse de minuscules fossettes aux joues:

— Est-ce que...? Je ne voudrais pas avoir l'air indiscrète, mais êtes-vous un étudiant de médecine?

Victor est intrigué, pas tant par la question – lorsque quelqu'un sort de la faculté de médecine, on peut évidemment supposer qu'il y étudie – mais plutôt par le fait qu'elle ose la lui poser. Élégante, sa taille mince enserrée dans une robe tailleur vert tendre qui dénote une certaine aisance, elle devrait adopter une attitude plus réservée. Aborder un étranger dans la rue n'est jamais très convenable pour une demoiselle.

Sur un ton aimable, il essaie de ne rien laisser paraître de son étonnement:

— En effet, et, en restant là, vous verrez bientôt déferler sur vous un troupeau complet de carabins.

Elle sourit plus franchement faisant ainsi disparaître toute trace de timidité de son visage:

— Je vous crois sur parole. Ce que je veux savoir, c'est si tous les étudiants de première année ont quitté l'école?

— Ils sont encore à l'intérieur. Je suis le premier à sortir.

— Ah! Tant mieux! Il est encore là. J'avais craint d'arriver trop tard. Vous croyez que je peux entrer? C'est gênant d'attendre sur le trottoir.

— La faculté est un lieu public. Personne ne s'opposera à ce que vous veniez y rencontrer quelqu'un.

Victor a beau être pressé, c'est plus fort que lui, il s'attarde pour s'entretenir avec elle. À ses joues rondes, à sa peau fraîche, ainsi qu'à ses manières juvéniles, il ne lui donne guère plus de dix-sept ou dix-huit ans. Il distingue une étincelle de malice dans les yeux sombres qui le regardent sans ciller. Des yeux ronds et noirs comme des boutons de bottines. Sous son chapeau enrubanné à large bord, des boucles brunes s'échappent de sa chevelure relevée en torsade et contrastent joliment avec son teint clair. Victor n'est pas insensible à son charme. Aussi, pour prolonger cette rencontre, il lui propose de la conduire jusqu'à l'amphithéâtre.

Au moment où il tend la main vers la porte, celle-ci tourne d'elle-même sur ses gonds. Kingsley, le visage empourpré par la colère, sort avec des gestes brusques et rapides. La demoiselle, évitant pour la deuxième fois d'être bousculée, ne perd pas pour autant son sourire enjoué ni ses bonnes manières:

— Bonjour, docteur, comment allez-vous?

Il la toise pendant deux ou trois secondes, puis, la reconnaissant soudainement, laisse tomber ces quelques mots avant de lui tourner le dos:

— Bonne journée, mademoiselle. Mes salutations à votre père.

Elle le regarde marcher de son pas pressé et remarque en se moquant:

— Je vais finir par croire que tous ceux qui sortent d'ici ont le feu aux trousses!

Elle se tourne vers Victor qui lui indique l'escalier:

— Il faut monter deux étages. Après vous!

À la vue des murs mornes et quelconques, elle affiche une moue dédaigneuse.

— Voilà donc le sanctuaire où se transmettent tous les secrets d'Asclépios, critique-t-elle.

— Déçue?

— Un peu, je m'attendais à quelque chose de plus... grandiose.

— Franchement, moi aussi, je suis un peu désappointé, ça ne ressemble guère à un temple sacré. À côté du Séminaire, l'école de médecine présente une piètre figure. Du point de vue de l'architecture, il va sans dire, rectifie-t-il rapidement pour ne pas porter à confusion. Parce qu'en ce qui concerne l'enseignement, il paraîtrait qu'elle vaut bien des universités dans le monde.

— Paraîtrait? répète-t-elle, amusée. Vous manquez de conviction. Pensez-vous que vos professeurs ne sont pas à la hauteur?

— Je l'ignore, mais il me reste encore quatre ans pour me faire une opinion.

En approchant du deuxième palier, ils croisent des étudiants qui détaillent plus ou moins discrètement la demoiselle. À la lueur ravie qui s'allume dans leurs yeux, Victor s'aperçoit qu'il n'est pas le seul à la trouver intéressante. Il ressent une certaine fierté à lui servir de guide. À dix-neuf ans, on éprouve parfois de la satisfaction à éveiller l'envie de ses semblables. Est-ce là péché d'orgueil?

Il pousse enfin la porte de la salle de cours et la laisse entrer.

— Vous voilà arrivée à destination! Est-ce que vous voyez votre ami?

Elle examine rapidement les étudiants qui discutent par petits groupes. En apercevant l'un d'eux, elle hoche la tête, joyeuse:

— Oui, c'est une chance pour moi.

Au son de cette voix féminine, la plupart des yeux convergent vers la nouvelle venue. Pour cacher sa gêne d'être devenue le pôle d'attraction, elle tend gracieusement la main à Victor. Lui aussi se sent embarrassé. Il se rend soudain compte du côté inhabituel de la présence d'une jeune fille en ces lieux. À la vue de ce couple, plusieurs de ses camarades rient de sa bévue ou les dévisagent de haut. Alfred Turcotte, avec qui Victor a déjà eu plusieurs accrochages durant leurs années d'études au Séminaire, remarque à haute voix: «Ce pauvre Dubuc, il n'en fera jamais d'autres! Où s'imagine-t-il être, dans une salle de bal?» Regrettant son initiative, Victor donne une poignée de main trop virile à l'inconnue et bafouille un vulgaire bonjour avant de s'éclipser.

Dehors, ses talons claquent sur les planches de bois du trottoir. Il est furieux! Oui, furieux de s'être tourné en ridicule devant ces bien-pensants du gratin québécois. Comment a-t-il pu oublier que ces lieux sacrés sont formellement interdits aux personnes de l'autre sexe!

De plus, il n'a réussi qu'à étaler au vu et au su de tous son manque total de savoir-vivre en abandonnant la jeune fille sur place! Mais il est trop tard pour reculer et la ramener dehors. Victor s'accable mentalement de reproches. Lui, qui se sent d'avance dédaigné par les autres étudiants, il vient de leur prouver qu'ils ont raison de le mépriser! Et elle, que va-t-elle penser de ce pleutre qui s'est enfui aussi rapidement?

Mais au fond, ce qui l'enrage le plus, c'est qu'il la trouvait jolie. Inconsciemment, il a cherché à lui plaire. Elle doit le juger durement, maintenant.

Secouant ses idées noires, il laisse derrière lui l'université, et la belle inconnue, et prend le chemin de la rue Sous-le-Cap. Tout son corps n'aspire qu'au repos. Des dernières vingt-quatre heures, il n'en a guère dormi plus de trois ou quatre. S'il veut parvenir à travailler cette nuit, il doit refaire le plein d'énergie.

En repensant à la morgue où il passera dorénavant la plupart de ses nuits, une vision macabre lui revient en mémoire et le tracasse: le corps en pièces détachées de la fille ramassée à la gare. Comment a-t-elle pu tomber sous les roues du train sans qu'il l'aperçoive? Il en est certain, personne ne se promenait sur le terrain de la gare avant l'arrivée du train. Se trouvait-elle déjà allongée sur les rails longtemps avant l'accident mortel? Possible, après tout!

Ce malheureux événement a toutefois prouvé à Victor qu'il pouvait facilement s'habituer à la présence des morts. Non pas qu'il en avait peur, mais l'idée de les découper pour les examiner de près ne l'emballait pas particulièrement. À présent, il sait que, s'il peut transporter une tête et un bras sans vomir, il n'éprouvera aucune répulsion à disséquer un cadavre.

Ses réflexions sur la mort deviennent moins émotives, plus cliniques qu'auparavant. Après tout, la mort n'est qu'un mauvais coup du destin, une sorte de tirage au sort aveugle comme celui qui l'a rendu orphelin à l'âge de quatre ans. Comme celui du pont de Québec. Un diablotin étourdi a claqué des doigts et le pont s'est effondré entraînant dans sa chute une centaine d'hommes. Combien de familles se retrouvent aujourd'hui privées de leur soutien financier? Victor l'ignore, mais il se doute que le chagrin et la misère seront leurs seuls héritages. Au fond, la mort ne le laisse pas indifférent puisqu'il ne peut s'empêcher de frissonner en songeant à la tragédie.

Ce pont ne devait se comparer à nul autre qu'à sa structure de type cantilever la plus longue au monde pour enjamber le fleuve. Il n'est plus qu'un débris embarrassant pour les politiciens qui le réclamaient depuis si longtemps. On espérait une huitième merveille du monde; il ne reste qu'un gigantesque cercueil sanglant qui garde, prisonniers dans ses entrailles, les corps de ses fourmis travailleuses.

La nuit s'annonce longue et fatigante. Lusignan a prévenu Victor, ce matin, qu'il faudra fouiller les berges du fleuve à la recherche de cadavres. C'est une opération qui s'effectue de nuit pour éviter aux familles le triste spectacle du transport des corps de leur frère, de leur père ou de leur fils.

3

L'honorable député Valmore Bélair jubile. Tant qu'il n'avait pas trop bu, il avait réussi à se contenir et à garder une attitude de circonstance: calme, imposante, voire majestueuse. Mais petit à petit, le champagne de l'apéritif, les bordeaux du repas et le scotch en guise de digestif ont eu raison de ce masque de respectabilité si peu conforme à sa vraie nature.

Son rire est devenu moins distingué, sa voix a monté d'une gamme et ses yeux pétillent d'un plaisir grivois à la vue des jeunes filles en robe de bal qui parsèment l'assistance. Cet homme ne peut cacher sa joie, il exulte. Les organisateurs de son comté lui ont préparé cette fête en l'honneur de ses vingt-cinq ans de politique active au niveau fédéral.

Oubliant l'absence de Sir Wilfrid Laurier, *son* premier ministre, qui ne peut assister à l'événement à cause d'affaires urgentes qui le retiennent à Ottawa (en réalité, le chef du pays n'a jamais pu supporter ce député à la cupidité trop évidente et aux manières vulgaires), oubliant donc sans remords son supérieur, Bélair se promet une fin de soirée mémorable.

La vaste salle Champlain du Château Frontenac est envahie par ses partisans qui ont pu se payer une place au banquet et par les invités spéciaux, tels le maire de la ville et les principaux notables de Québec. Les assiettes de porcelaine, dont le fin motif fleuri disparaît sous les restes, et les coupes de cristal à demi vides jonchent les nappes de tulle pervenche. Le généreux éclairage des plafonniers aux brillantes pendeloques accentue la chaleur que les dames tentent de chasser avec un balancement intensif de leur éventail. Dans cette ambiance de luxe et de tape-à-l'œil, le député Valmore Bélair n'a rien à envier à César!

Après les louanges et les félicitations qui abondaient dans l'éloge qui lui fut rendu, après la remise d'une plaque officielle commémorant ses nombreuses années consacrées au service de la population de son comté, Valmore adopte un air modeste démenti par le ton et les paroles de son discours de remerciement. Il laisse entendre que cet honneur lui revient de droit. Lui qui a tant œuvré pour le bien-être du petit peuple!

Qui ne se souvient d'un frère, d'un oncle ou même d'un fils reconnaissant envers leur cher député pour l'aide fournie lors de la recherche d'un emploi? Qui n'a pas à la mémoire une veuve ou des orphelins ayant bénéficié d'un coup de pouce au bon moment? Seuls des gens de mauvaise foi tenteront de ternir sa réputation en dénigrant ses bonnes actions par de basses calomnies. Mensonges de jaloux que ces allusions au favoritisme pour ceux de son parti! Racontars de bigots que ces histoires de mœurs! Ragots et inventions de ses adversaires que ces détournements de fonds! Que celui qui croit avoir la moindre preuve ose l'affronter en face, il aura la réponse qu'il mérite!

Cette harangue ironique apporte à Bélair exactement la réaction qu'il prévoyait: une acclamation frénétique de la part de ses partisans. Sous la lumière des lustres électriques en cristal qui font la fierté du Château Frontenac, les joues rebondies et le nez camus de l'homme corpulent luisent de sueur et de satisfaction. À ses côtés, sa femme, aussi ronde que lui mais plus courte, affiche un sourire triomphant. La valeur de son homme est enfin reconnue. Tous les sacrifices qu'elle a dû consentir pour seconder efficacement son mari n'ont pas été vains.

Elle se penche vers son voisin de gauche, un jeune homme aux manières élégantes, et lui chuchote avec une pointe de frustration:

— Louis, si seulement tu le voulais, tu pourrais avoir un avenir brillant, aussi magnifique que la carrière de ton père. Avec son influence, tu n'aurais aucun problème à te placer. Pourquoi perds-tu ton temps à défendre des ratés quand la politique te propose beaucoup mieux?

Son fils hausse les épaules d'un mouvement irrité. Il considère ces conseils maternels, maintes fois répétés, comme une insulte à sa fierté et à son indépendance. Il préfère être avocat plutôt que de suivre les traces de son père. Qu'a-t-il en commun avec cet homme qu'il juge primitif et sottement orgueilleux? Il ne lui ressemble ni au physique ni au moral! S'il ne savait pas sa mère si prude, il pourrait croire qu'il n'est pas de lui. Pour couper court à l'éternelle discussion, il se tourne vers sa fiancée, Élise Vaillancourt. Sa compagne aux yeux sombres et à la lourde chevelure brune prête une oreille intéressée aux propos amoureux qu'il lui gazouille.

Prenant conscience que son fils ne l'écoute pas, madame Valmore Bélair reporte son attention sur l'homme de sa vie, celui à qui elle a tout abandonné, son corps, sa fortune et même son propre nom.

Quand, quelques heures plus tard, elle étire paresseusement ses cent soixante-sept livres dans le splendide lit à baldaquin de la suite de cet hôtel de luxe, elle n'a aucun doute sur l'emploi du temps de Valmore. Le pauvre, en ce moment, doit assister à une réunion tardive de son équipe qui se prépare pour les prochaines élections. Sans se l'avouer, elle trouve que cette réunion tombe à point. Son mari se montre toujours un peu trop chaud lapin après plusieurs verres. Et s'il y a quelque chose qu'elle déteste, c'est le tripotage insistant et intensif qu'elle doit subir en épouse fidèle et dévouée. Mais, cette nuit, elle dormira trop profondément pour qu'il ose la réveiller à son retour. Elle se détend à cette idée.

Deux étages plus bas, dans la chambre de Louis, Valmore s'impatiente:

— Tu es certain qu'elles ne changeront pas d'idée? Elles devraient pourtant être là depuis un bon moment!

L'ombre d'un sourire aux lèvres, Louis observe son père qui s'agite et transpire de plus en plus. Sur un ton innocent, il propose:

— Désirez-vous que je téléphone à la réception? L'employé me renseignera s'il les a aperçues.

— As-tu perdu la tête? rouspète son père avec des yeux effarés. Je t'interdis de toucher à ce téléphone. Il ne faut surtout pas attirer l'attention des garçons de l'hôtel. Une indiscrétion est si vite arrivée. Pense un peu à ta mère qui couche au-dessus... Si jamais elle savait, je...

— Comment voulez-vous qu'elle le sache? Nous sommes dans ma chambre et je suis l'hôte de ces demoiselles. D'ailleurs, je suis convaincu que les employés du Château sont la discrétion même!

Valmore s'éponge le front en ronchonnant:

— Discrétion! Discrétion! J'en ai connu, moi, des discrets qui se faisaient un plaisir de détruire une réputation pour moins que ça. Je te le dis, mon garçon, dans la vie on ne peut avoir confiance qu'en soi-même.

Louis reconnaît la mentalité étroite de son père. C'est avec de semblables préceptes à la morale étriquée qu'il a été élevé.

— Non, non, suggère Valmore, il vaudrait peut-être mieux que tu ailles voir. Personne ne trouvera anormal que tu te promènes à cette heure-ci. Tandis que moi...

Conciliant, Louis accède au souhait de son père. Sitôt sorti de sa chambre, il arpente le corridor jusqu'à l'escalier de service. En poussant la porte, il aperçoit les deux filles à qui il a donné rendez-vous sur ce palier. Il évalue rapidement leur allure et leur robe au décolleté provoquant avant de se prononcer d'un ton sec.

— Ça ira. N'oubliez pas, vous n'êtes pas de la région, mais de Montréal. Cet homme important ne veut surtout pas risquer des rencontres embarrassantes dans les rues de Québec. Si monsieur est satisfait, il pourrait s'additionner une prime à ce qui vous est dû...

La plus dégourdie des deux filles, celle aux longs cheveux noirs frisés, affirme en s'approchant et en lui effleurant la nuque du bout des doigts:

— On est les reines des trous de mémoire. Allongez vos piastres et on oubliera même le nom de notre mère.

Louis repousse la main de la fille et ricane:

— Je n'en attendais pas moins de toi, Lolita, ma jolie. Allez, le pauvre homme a assez attendu. Il se ronge d'impatience en imaginant son double plaisir.

Il se tourne vers la deuxième prostituée, une fille maigrichonne aux yeux effarouchés, mais à la poitrine étonnamment développée pour sa taille:

— Compris? Je n'apprécie guère celles qui causent des problèmes!

— Oui, m'sieur, balbutie-t-elle, impressionnée par le ton courroucé de l'homme.

Lolita vient à sa rescousse:

— Angélique est à votre service, comme moi. Tout ce que vous voudrez, toutes vos extravagances sont des ordres. Et nous savons garder notre langue sur les désirs secrets des beaux messieurs chics de la ville.

Il opine du chef et lui tend finalement la clé de sa chambre. D'un air blasé, il les regarde s'approcher de la porte, puis il descend lentement jusqu'au rez-de-chaussée. Il n'est que minuit et quart; la nuit est encore jeune, pour un samedi. Avec un peu de chance, le Bacchus est encore ouvert et il pourrait y rencontrer des amis.

Debout dans le couloir, Angélique a écouté les pas de cet étrange entremetteur décroître peu à peu. Où son amie a-t-elle pu rencontrer ce monsieur de la haute société? Sûrement pas dans le bordel de la rue Sous-le-Cap où elles logent toutes les deux. Encore novice dans le métier, elle appréhende la suite des événements. Lolita devine ses réticences et ne lui laisse pas le temps de réfléchir. Elle l'attire brusquement vers la porte en murmurant:

— C'est aussi facile qu'avec les matelots du port, tu verras. On sera dans un vrai bon lit avec des draps de satin et du tapis mur à mur. Il nous offrira peut-être un verre de champagne. As-tu déjà goûté? Ça picote sur la langue et dans le nez. Après deux ou trois gorgées, la tête te tourne. Et on reste ensemble. Rien à voir avec les pouilleux du bordel. Quand un client peut se payer deux filles à la fois, pour nous, c'est la moitié du travail! Dépêche, le pauvre chéri se languit!

D'une main confiante, Lolita glisse la clé dans la serrure. C'est un sourire éclatant et plein de promesses qu'elle adresse à l'homme ventripotent debout près du lit.

4

En arrivant à l'université en ce beau lundi matin, Victor se sent tout à fait reposé, car il ne travaille pas le dimanche soir. C'est d'un pas léger qu'il entre dans l'amphithéâtre pour le cours d'anatomie pratique et descriptive. La vue d'une forme allongée sous un drap blanc ne réussit pas à assombrir sa bonne humeur. Même l'odeur désagréable qui s'en dégage ne le dérange pas. Depuis mercredi dernier, la compagnie des cadavres ne l'impressionne plus.

C'est probablement pour cette raison que l'agitation et le frémissement d'incertitude qui règnent sur la classe ne l'atteignent pas. Au moment où il s'assoit à sa place habituelle, des blagues idiotes suivies de rires nerveux et vite réprimés se perdent dans un bruissement gêné. Le silence s'installe dans la salle, comme si tous retenaient leur souffle. Les regards moqueurs d'un groupe d'étudiants dont Turcotte fait partie convergent vers Victor.

Ignorant leur attitude déplaisante, il glisse son sac sous son siège, mais il sent une résistance. Il fouille de la main pour en connaître la cause et sursaute violemment. Ses doigts se sont emmêlés dans de longs cheveux et frôlent une peau glacée. Il est envahi par une stupeur abrutissante en attirant à lui une tête de fille à la chevelure rousse, aux yeux mi-clos, la bouche grimaçant de douleur et de peur. Les rires gras qui fusent du côté de Turcotte le tirent de son ébahissement.

Ce qui surprend le plus Victor, c'est qu'il reconnaît cette tête. Il l'a lui-même ramassée sur la voie ferrée jeudi matin. Comment peut-elle se retrouver ici? Avant que l'étudiant ne puisse concevoir une réponse à sa question, le docteur Kingsley fait son entrée dans la salle. Vêtu d'un long sarrau marine, il s'appuie sur la table de marbre qui occupe le devant de la salle et commence son cours d'une voix réjouie:

— Aujourd'hui, grâce à la générosité de la morgue de la ville, nous allons pouvoir procéder à notre première dissection. Comme nous n'avons qu'un seul sujet d'observation et qu'il s'agit d'une nouvelle expérience pour vous tous, c'est moi qui l'exécuterai. J'exige de chacun d'entre vous une attention absolue. Il va de soi que vous devez prendre des notes.

Il agrippe le drap pour le retirer, mais des ricanements arrêtent son geste. Fronçant les sourcils, il sermonne:

— Il vaudrait mieux vous y habituer dès maintenant. Un cadavre n'a rien de drôle ni d'excitant, même si c'est celui d'une femme. Exercez-vous à n'y voir qu'un sujet sur lequel vous devrez travailler.

Donnant suite à son mouvement, il laisse tomber le drap sur le sol, découvrant le corps nu d'une fille. Son bras droit, coupé près de l'épaule, est déposé sur son tronc, passant entre ses maigres seins. La main, dans une attitude faussement pudique, cache son pubis. Mais, de tête, il n'y a point. À l'hilarité de certains étudiants, le professeur est convaincu que c'est l'exploit d'un mauvais plaisantin.

Sa voix froide et chargée de courroux met un terme à ce divertissement:

— Messieurs, je constate que vous n'êtes pas encore sortis de l'enfance! Ces gamineries n'ont pas cours dans notre institution. Sachez que de tels agissements sont inacceptables dans la profession que vous envisagez. Celui qui persévérera dans cette mauvaise voie sera renvoyé. Je n'hésiterai pas à l'exclure de mes cours!

Une rage sourde s'empare de Victor lorsqu'il voit Turcotte dissimuler un sourire triomphant derrière sa main. Son ennemi de longue date s'est encore organisé pour faire de lui la tête de Turc de la classe.

— Et maintenant, qui est en possession de cet ornement dont la nature a bien voulu doter certains d'entre nous? ironise le docteur.

Victor ne cherche pas à se disculper. À quoi cela servirait-il? En tentant de se défendre, il ne provoquerait que des railleries supplémentaires de la part de ses camarades – surtout ceux qui gravitent autour de Turcotte – et peu de sympathie chez l'enseignant. Résigné à supporter les conséquences de ce mauvais tour, il se lève lentement. Il s'encourage en espérant qu'un jour il prendra sa revanche. En attendant, il va déposer la preuve du délit sur la table. Lorsqu'il veut retourner à sa place, l'enseignant le retient:

— Puisque votre intérêt pour l'anatomie est si considérable que vous n'ayez pu résister à l'impulsion de vous instruire sans moi, vous allez demeurer ici pour m'assister.

Toujours silencieux, provoquant Turcotte du regard, Victor se tient derrière le docteur pendant que celui-ci mentionne brièvement la cause de la mort de la victime. Déplaçant le bras et la tête sans vie en direction de l'assistance, il commente:

— Vous remarquerez que ces deux parties du corps ont été tranchées d'un trait clair et net, ce qui donne une coupure sans bavure. C'est probablement dû à la forme des roues du train et à la vitesse à laquelle l'accident s'est produit, tandis que le sectionnement du côté du corps a été plus ardu. Les chairs ont été fortement écrasées et même les os furent broyés à cause du poids du train.

De sa place privilégiée, Victor remarque un sillon profond sur le cou, au niveau du larynx, à peine un pouce au-dessus de l'incision. Trace qui n'existe pas sur le bras. Il la montre au docteur qui en déduit aussitôt:

— Sûrement le col de sa robe qui se sera enroulé là et qui aura laissé cette marque. Mais là n'est pas le propos du cours d'aujourd'hui.

Délaissant les causes du décès, le professeur décrit les différentes parties externes et internes du corps humain avec force détails et commentaires sur leur utilité. Victor tente vainement de canaliser ses pensées sur l'exposé et se fait surprendre à quelques reprises en pleine faute de distraction. Il n'y peut rien mais, chaque fois qu'il pose les yeux sur la gorge de la fille, il la revoit allongée sur les rails.

Élise Vaillancourt flâne dans les allées du parc Montmorency. Elle profite de la tiédeur de cette belle fin de matinée et savoure la douce oisiveté de sa balade solitaire. L'an dernier, encore collégienne chez les Ursulines, son emploi du temps était minuté et ne lui permettait guère des fantaisies de ce genre.

En se rapprochant de la falaise, elle aperçoit, griffonnant un cahier, le carabin qui l'a guidée à l'intérieur de la faculté de médecine, la semaine dernière. Elle contourne le banc sur lequel il est installé et s'assoit près de lui. Distrait par l'odeur de lavande qui l'entoure tout à coup, Victor lève la tête. Avec son sourire coquin, elle l'aborde sans autre préambule.

— C'est une bonne idée que vous avez là.

— Pardon?

— Oui, il est plus agréable d'étudier en plein air que dans les salles sombres de l'université. À votre place, je ferais de même.

Son regard soutenu et ses manières familières font toujours autant d'effet sur Victor. Depuis leur unique rencontre dans la rue de l'Université, il l'avait chassée de sa mémoire. Au souvenir de ce premier contact, il n'est pas certain qu'elle ne désire pas aujourd'hui le narguer ou s'amuser à ses dépens. Sa mésaventure de ce matin, durant le cours d'anatomie, le rend soupçonneux. Sur un ton distant, il rectifie:

— Ce n'est pas de l'étude à proprement parler, je me contente d'écrire certaines notions avant de les oublier.

— Je vous dérange? Désolée, je voulais seulement vous saluer. Vous avez été si gentil avec moi, l'autre jour.

Cet élan de franchise naïf et apparemment sincère le désoriente.

— Je ne vois pas en quoi j'ai pu vous être si agréable, mademoiselle. Je n'ai fait qu'ouvrir une porte.

— Justement celle que tout le monde essaie de m'interdire. Comme s'il pouvait y avoir quelque chose d'indécent dans une école de médecine.

Victor ne désire pas la contrarier ouvertement, mais il considère néanmoins que la vue d'une dissection pourrait offenser sa pudeur. Elle remarque ses réticences. Aussi, pour sonder ses opinions, elle continue sur sa lancée:

— Savez-vous qu'à Montréal il y a une femme qui pratique la médecine? Il paraît qu'elle dirige un hôpital pour enfants. C'est merveilleux, non?

— Euh, oui, merveilleux. Quoique, si les femmes peuvent nourrir et prendre soin de leurs enfants, je ne vois pas pourquoi elles ne soigneraient pas aussi leurs blessures mineures. Ça n'a rien d'extraordinaire.

Tout en gardant son sourire, elle marque sa désapprobation au mot «mineures» par un léger haussement de son sourcil droit. Avec malice, elle revient à la charge:

— Et les sœurs hospitalières? Que pensez-vous de leur dévouement auprès des malades?

— Très utile.

— Rien de plus? insiste-t-elle.

— Efficace, se risque-t-il.

— Encore un effort, l'encourage-t-elle en retenant son rire.

— Suis-je en train de passer un test de bonne conduite ou interrogez-vous tout le monde ainsi?

— Non, seulement les carabins. Pour les avocats, j'exige d'eux un plaidoyer en bonne et due forme sur les bienfaits que le sexe faible peut apporter à l'humanité. Je connais maintenant votre niveau de tolérance sur la présence des femmes dans votre chasse gardée.

Sautant du coq à l'âne, elle se penche sur les notes de l'étudiant et lit à haute voix la dernière ligne:

— ...signes de strangulation: sillon gravé autour du cou, peau du visage bleutée... Vous avez une belle écriture! On vous enseigne déjà comment reconnaître les causes d'une mort?

— Pas vraiment, c'est une idée à moi, une recherche personnelle.

— Personnelle? En quoi la strangulation vous intéresse-t-elle?

Poussé par son insistance, il lui narre brièvement le cours de ce matin, mais en gardant pour lui la mauvaise blague dont il a été victime. Du coup, il lui fait aussi part du soupçon soulevé par ce qu'il a vu sur la gorge du cadavre. Ni troublée ni dégoûtée par ses propos, elle relève la conclusion de Victor:

— Elle se serait étranglée! Vous ne croyez pas que c'est la décollation qui l'a tuée? Il s'agit de celle qui a été retrouvée, la semaine dernière, à la gare du Palais? J'ai lu l'article dans le journal. Laconique et expéditif! Une fille de petite vertu, ivre morte, glisse sous les roues du train. Fin de la tragédie! Alors, qu'est-ce qui a pu l'étouffer?

— Le docteur Kingsley croit que c'est le col de sa robe, mais j'en doute. Son décolleté découvrait les trois quarts de sa poitrine.

— Un fichu! Peut-être en portait-elle un, noué autour du cou. Ou le ruban de son chapeau?

— Non, je n'ai rien vu de tel lorsque je l'ai ramassée sur les rails.

Elle l'observe, les yeux arrondis:

— Quoi? Les étudiants en médecine doivent se procurer eux-mêmes les cadavres pour leur dissection? Voilà qui est nouveau! Et pas tout à fait légal!

— Ce... ce n'est pas ça, bredouille-t-il. C'est que... je travaille à la morgue.

Il est de nouveau sur ses gardes, redoutant le jugement défavorable dont elle ne manquera pas de l'affliger. Mais elle ne passe aucune remarque sur son travail. Elle déduit plutôt avec logique:

— Donc, si ni sa robe, ni un foulard, ni aucun autre vêtement ne sont en cause, il s'agit peut-être d'un meurtre!

S'attendant si peu à être confirmé dans sa théorie ébauchée ce matin en classe, Victor manifeste un court moment d'hésitation avant de soupirer:

— Je crains fort que nous ne soyons que deux à penser ainsi. Sinon, l'autopsie aurait été plus poussée et le corps n'aurait pas été donné à l'université.

— Les erreurs judiciaires, ça existe! L'incompétence et la négligence aussi, s'enflamme-t-elle avant de s'apitoyer. Pauvre fille! Pour que son corps se retrouve à l'université, c'est que personne n'est venu le réclamer. Toute seule à se défendre contre un meurtrier, comme elle a dû avoir peur!

«Peur! Terrifiée serait plus exact, songe-t-il en se remémorant le visage de la fille. Elle a senti la mort s'emparer d'elle. Elle a vu celui qui l'a tuée et ce n'était pas le train parce que...»

Il devine qu'il touche presque du doigt une autre preuve de l'assassinat, mais il ne parvient pas à l'identifier clairement. Un détail lui échappe. Élise le sort de sa rêverie en se levant:

— Votre compagnie est intéressante, mais je dois partir. J'ai trouvé notre conversation très instructive.

Elle lui serre la main avec une vigueur inattendue et le laisse sur ce souhait:

— J'espère que vous réussirez à élucider ce mystère. Enfin, si cette histoire vous tient à cœur.

Interdit, il la regarde se faufiler entre les arbres du parc. Il ne sait plus trop que penser d'elle. Visiblement cultivée, vive d'esprit, elle n'a montré aucun embarras à discuter avec lui. Pourtant, il n'est qu'un étranger de qui, normalement, elle devrait se méfier. Au contraire, elle a porté une oreille attentive à ses élucubrations. Elle a même abondé dans son sens sur la cause de la mort de la victime et croit comme lui que les autorités se trompent.

Mieux encore! Ne l'a-t-elle pas implicitement encouragé à mener sa propre enquête? L'idée le travaille depuis ce matin, mais il hésite à s'en mêler. Ébranlé, il réintègre les locaux de l'université. En mettant les pieds à la faculté, il s'aperçoit avec confusion qu'il est prêt à se lancer à la recherche de la vérité à cause d'une parfaite inconnue. Il ignore jusqu'à son nom.

Tout l'après-midi, ses pensées le ramènent au problème qui le hante. Il éprouve quelques difficultés à suivre le cours. Entre deux notions de physiologie inscrites à la hâte, il n'écoute que distraitement les enseignements du docteur Vaillancourt.

Lorsque le professeur donne enfin congé à ses étudiants, Victor réfléchit encore au comportement à adopter. En sortant de l'université, il croise Sirois qui lui adresse un sourire poli. Cédant à un élan soudain, Victor s'attache à ses pas.

— Docteur, je suis intrigué par un événement ou plutôt une situation que je m'explique mal. Peut-être pourriez-vous m'éclairer là-dessus?

— C'est possible! Dites toujours.

— Ça s'est produit lors de mon cours d'anatomie. Le docteur Kingsley s'est procuré un cadavre pour une expérimentation.

Agacé, Sirois hoche la tête. Il se souvient à quel point son confrère l'a harcelé pour entrer en possession d'un sujet pour son laboratoire. Comme chaque année, d'ailleurs, il est revenu à la charge, têtu et obstiné comme un enfant en quête d'un caprice.

— Et alors! Le cours s'est mal déroulé?

— Très bien, au contraire. Mais il s'agissait du corps que j'ai ramassé à la gare.

— C'est ça qui vous embête? Sachez que, selon la loi, toute personne trouvée morte et exposée publiquement qui n'a pas été réclamée par un membre de sa famille dans les vingt-quatre heures peut être livrée à une université pour servir à l'étude de l'anatomie et de la chirurgie. Fin de la citation. Vous voyez, simple comme bonjour!

— Mais elle porte des marques d'étranglement! Ne devrait-il pas y avoir une enquête plus approfondie?

Le docteur s'irrite:

— Monsieur Dubuc, ne vous laissez pas aller à des suppositions oiseuses. Mais je comprends que ce soit tentant d'envisager un meurtre à la vue de votre premier cadavre. Quand j'ai débuté en médecine légale, je présumais que chaque cas résultait d'un crime morbide et sinistre, et que derrière lui se profilait l'ombre d'un meurtrier sanguinaire. Avec le temps, mes illusions se sont volatilisées. Pour un attentat réel, on compte des dizaines et des dizaines d'accidents et même de suicides. Vos intentions sont certainement louables et découlent d'une ardeur de débutant, mais, si vous voulez mon avis, ne jouez pas au détective.

Tenace, Victor essaie de nouveau:

— Elle a pourtant été étouffée...

— Et à ça, on peut certainement fournir une bonne explication. Elle a pu être happée par le train qui l'a entraînée avant de lui couper le cou. Ou encore un vêtement, chapeau ou foulard, s'est enroulé autour de son cou avant que les roues ne la décapitent, et on ne l'a pas retrouvé parce que le vent produit par le mouvement du train l'aura charrié au loin. Cessez de vous mettre martel en tête. Il n'existe dans cette affaire aucun élément suffisant pour supposer un acte criminel.

Il hâte le pas pour se débarrasser de l'opportun, mais Victor le rejoint:

— Et si je vous apporte cet élément incriminant, que ferez-vous?

Le médecin légiste le considère avec attention. De toute évidence, il est sérieux et entêté.

— Je l'examinerai. Mais, prenez garde, il doit être irréprochable.

Il le quitte sur cet avertissement. Pour Victor, c'est une demi-victoire. Sirois s'est montré moins rébarbatif qu'il ne l'aurait d'abord cru. Il ne lui reste plus qu'à découvrir cette preuve irréfutable.

Après six heures de sommeil, plus ou moins perturbé par les bruits ambiants, Victor se présente à la morgue quelques minutes avant minuit. Un message déposé sur le bureau de l'entrée le prévient qu'il devra se débrouiller seul. Le vieux Siméon ne rentrera pas cette nuit, il est malade.

En maître des lieux, Victor effectue sa tournée de routine. Lorsque ses opérations de nettoyage sont terminées, il s'attelle à des tâches plus intellectuelles. La surveillance de l'endroit lui laisse parfois le loisir de se consacrer à ses études.

Le nez dans ses livres, il ne voit pas le temps filer jusqu'à ce que la sonnerie du téléphone lui rappelle qu'il est au travail. À l'autre bout du fil, un policier lui intime l'ordre d'aller cueillir un client en bordure du Cap-aux-Diamants.

Quelques minutes plus tard, la voiture médico-légale contourne la haute-ville. En empruntant la rue du Sault-au-Matelot, Victor aperçoit un rassemblement devant une porte. Des têtes sont penchées aux fenêtres des maisons voisines. Un bourdonnement de commentaires perturbe le quartier éclairé par les torches des agents.

Un homme en uniforme indique à Victor la falaise qui se dresse juste derrière les maisons.

— Le cadavre est par là. Va falloir grimper pour le ramasser. Siméon est avec vous?

— Non, je vais avoir besoin d'un coup de main.

Le policier cherche des yeux un collègue plus jeune que lui et assigne Armand Grondin à cette tâche. Celui-ci écoute pour la vingtième fois, au moins, une femme enroulée dans une couverture lui raconter qu'elle ne parvenait pas à dormir.

— Ça empestait trop! Pourtant les mauvaises odeurs, je connais. Dans le coin, avec les quais, les inondations et les déchets qui traînent, j'en ai senti de la puanteur. Mais comme celle-là, jamais. Fait que j'ai dit à mon homme: «Faut que t'ailles voir ce qui pue autant!» Il...

— C'est très bien, madame. J'ai parfaitement saisi la situation. Excusez-moi, mon supérieur me réclame.

Grâce à cet ordre, il s'arrache avec gratitude à la conversation assommante de ce témoin principal. La femme, ainsi rejetée, part à la recherche d'un public plus complaisant. Grondin entraîne Victor vers la pente.

— Pas commode, la bonne femme! Depuis une heure qu'elle répète la même chose. Bon, votre client est du genre mouffette. J'espère que vous n'y voyez pas d'inconvénient.

— J'ai le choix? Qu'est-ce qui s'est passé?

— Un homme qui a dégringolé des remparts. Il doit être là depuis plusieurs jours, car c'est à l'odeur qu'on l'a repéré. Encore un peu plus haut.

Une large toile cirée sur l'épaule, Victor escalade la paroi friable. Au début, le policier et lui n'ont qu'à grimper sur les nombreuses roches accumulées en bas. Au fur et à mesure qu'ils s'élèvent, la montée se complique et l'obscurité s'intensifie. Sous leurs pieds, les pierres roulent, augmentant les risques de chute. Leur position devient de plus en plus périlleuse, et l'odeur, insupportable.

Ils se hissent sur une saillie naturelle où l'homme est allongé, à mi-hauteur du cap. Le cadavre éventré laisse pendre ses entrailles.

— C'est pour ça qu'il pue autant, marmonne Victor, dégoûté.

— Probablement des mouettes qui sont venues faire un festin. Allez, donnez-moi un bout de la toile.

Victor déplie la large bande cirée et la tend à Grondin pour y faire glisser dessus les membres raidis de la victime. Le plus pénible est de soulever le corps pour qu'il soit centré sur la toile. Après mille contorsions et autant de précautions, ils parviennent enfin à refermer les pans et à nouer ensemble les attaches des quatre coins. Ainsi enveloppé, le cadavre sera plus facilement transportable. Grondin jette un regard vers la rue baignée de lumière.

— On n'a plus qu'à regagner le plancher des vaches. Je passe le premier et vous me suivez ou on descend de front avec le paquet entre nous?

— J'opterais plutôt pour le côte à côte. Tenez-le solidement.

Une attache enroulée autour d'une main, Victor amorce sa descente en se soutenant de sa main libre. Grondin empoigne un coin de la toile et lui emboîte le pas. Évaluant dans la pénombre les prises pour les pieds, se glissant d'une fissure à l'autre, ils forcent pour empêcher leur fardeau de les entraîner vers le bas. La distance qu'ils ont à franchir avant d'atteindre la terre ferme leur semble démesurée tant ils progressent lentement.

Le policier émet un cri étouffé lorsqu'il sent son soulier déraper sur des cailloux. Il lâche le sac et essaie de se raccrocher à la paroi. Victor, lui, est lié à la toile qui le charrie dans sa suite. Il dégringole de quelques pieds avant de pouvoir attraper une prise solide. La main crispée sur un pic rocheux, il se rétablit dans une position moins dangereuse.

Il remarque la stupeur des curieux agglutinés au pied de la côte. Eux qui jacassaient avec ardeur l'instant d'avant sont maintenant figés. Quand Grondin le rejoint et que, ensemble, ils reprennent une allure normale, un murmure de soulagement anime les spectateurs.

Les deux hommes ne respirent mieux que lorsqu'ils touchent terre. Mais ils n'ont guère le temps d'en profiter. Le supérieur d'Armand lui ordonne d'accompagner Victor à la morgue et d'y effectuer une fouille des vêtements de la victime.

Le trajet est silencieux. Ni l'un ni l'autre n'éprouvent le besoin d'échanger des propos banals. Lorsque le cadavre est déposé sur la table de marbre de la salle d'observation et libéré de la toile cirée, ils procèdent ensemble à son déshabillage. L'homme, dans la quarantaine, porte un complet gris d'un style assez courant et une chemise blanche tout à fait ordinaire. Seuls ses souliers semblent être d'une qualité supérieure même si, dans la chute, ils ont perdu de leur éclat. Malgré l'usure des semelles, il devait en prendre soin et les cirer régulièrement.

Pendant que Victor ouvre une fenêtre pour aérer la pièce, chaque vêtement est palpé et examiné de près par le policier. Les devants du veston et du pantalon sont maculés de taches de sang, tout comme la chemise et la camisole qui s'ornent aussi de déchirures de différentes tailles.

— Les oiseaux sont tellement voraces qu'ils auraient fini par le déshabiller complètement! remarque Grondin. Ils ont même arraché des bouts de tissus.

Victor, qui a recouvert d'un drap le corps dénudé et meurtri, plie soigneusement chaque pièce de vêtement que le policier lui tend. Il s'attarde au veston qui porte une drôle de marque à l'intérieur du dos. La doublure laisse nettement apparaître deux longues traces de sang parallèles séparées par une fine entaille allant dans le même sens.

Grondin se penche lui aussi sur cette marque bizarre. Intrigué, il vérifie le dos du cadavre. À part quelques meurtrissures, aucune blessure n'y apparaît.

— De la façon dont cet homme était allongé, pour tacher la doublure dans le dos, il aurait fallu que le sang coule le long de sa veste, marmonne le policier. Mais ce n'est pas le cas. Les taches sont précises et à ce seul endroit. Et cette coupure bien nette...

— On dirait qu'elle a été faite par un couteau. Comme si on avait essuyé une lame pleine de sang.

Grondin approuve d'un hochement de tête. Avec la possibilité de l'utilisation d'une arme blanche, l'accident se transforme en meurtre et une enquête doit être ouverte. Il fouille les poches du pantalon de la victime. Les menus articles qu'il y découvre sont joints à ceux trouvés dans le veston. Rien que des objets sans valeur: un mouchoir à carreaux, une médaille de saint Christophe, quelques pièces de monnaie, une bande élastique, mais aucun papier pouvant servir à l'identifier.

Après un dernier coup d'œil au mort, le policier se décide à partir.

— J'emporte ses biens avec moi. Je vous laisse les vêtements pour que le médecin légiste puisse procéder aux expertises. Les mesures habituelles, quoi!

Victor le raccompagne vers l'entrée et en profite pour orienter la conversation sur un tout autre sujet.

— Je suis content que ce soit vous qui m'ayez donné un coup de main cette nuit, parce que j'avais à vous parler. C'est à propos de la fille qui est morte la semaine dernière, à la gare. Son corps a été remis à l'université pour être disséqué durant les cours.

D'un geste de la main, en guise d'explication, il montre ses cahiers encore ouverts sur le bureau:

— Je suis étudiant à la faculté de médecine. Ce matin, j'ai eu la possibilité d'examiner le corps de plus près et... Enfin, je ne suis pas un expert et jamais je ne voudrais remettre en question les capacités du médecin légiste. Mais, je ne parviens pas à être d'accord avec ses conclusions sur ce cas.

— La mort de cette fille vous tracasse? Bon, allez! Expliquez-moi vos raisons que je voie de quoi elles retournent.

Pendant que Victor s'exécute, Armand feuillette son calepin jusqu'à la page du croquis de la victime allongée sur les rails.

— Je crois qu'elle a été étranglée. J'ai vu une marque autour de son cou. Un sillon fin et profond. Seul un objet très mince a pu laisser une telle trace, comme de la ficelle. Un fichu ne serait pas entré dans la peau de cette façon. Et ce n'est sûrement pas le col de sa robe. Vous avez pu constater comme moi qu'elle ne montait pas jusqu'au cou.

— Qu'un objet non identifié se soit enroulé autour de son cou, c'est possible! Mais rien ne prouve que nous soyons en face d'un geste criminel. Elle avait des rubans sur sa robe, c'est peut-être ça?

— Mais on ne l'a pas retrouvé, ce ruban ou quel que soit l'objet en question. Et pourtant, il devait être très serré autour du cou pour la marquer autant. Il ne s'est sûrement pas envolé après sa mort.

Grondin grimace une moue incertaine:

— Si c'est l'unique preuve que vous avez à présenter, elle n'est pas suffisante pour rouvrir le dossier. Il en faudrait davantage pour convaincre le chef d'enquêter sur un meurtre. Lui, il se fie aux faits: un cadavre coupé en morceaux par les roues d'un train signifie accident.

Pour appuyer ses dires, il présente son dessin à Victor qui l'examine avec minutie. La fille est couchée sur le dos, le bras droit et la tête à l'intérieur des rails, les pieds vers le bas de la feuille. Dans le coin supérieur droit, une maison est sommairement ébauchée. En la pointant du doigt, Victor vérifie:

— C'est la gare?

— Non, les hangars.

Sans vraiment réfléchir, Victor décrète:

— Alors la fille est à l'envers. Ce sont ses pieds qui devraient être les plus près des hangars.

— Non, non, je suis certain qu'il n'y a pas d'erreur. Je me rappelle très bien qu'elle était dans cette direction.

Victor raisonne à voix haute:

— Le train entrait dans la gare. Il fallait qu'en frappant la fille, il la pousse, sur le ventre ou sur le dos, la tête en direction de la gare. Il n'aurait jamais pu l'écraser dans l'autre sens. Impossible!

— À moins qu'elle n'était déjà allongée, endormie, complètement ivre.

— Quelqu'un l'aurait vue passer ou l'aurait entendue. Les ivrognes ne sont pas particulièrement discrets. D'où j'étais, je pouvais distinguer le chemin de fer et je n'ai rien vu qui bougeait. On l'a peut-être déposée, déjà morte, sur les rails avant que j'arrive à la gare?

— C'est peu probable, les employés circulent beaucoup sur le terrain et ils l'auraient aperçue. Sauf..., s'interrompt-il, indécis.

Victor attend la suite, mais le policier retrouve un air officiel. Rangeant son calepin dans sa poche, il précipite son départ sans dévoiler l'idée qui lui trotte derrière la tête.

L'étudiant ne sait pas trop comment interpréter le silence de Grondin: a-t-il réussi à semer le doute dans son esprit? Ou est-il convaincu que Victor s'imagine des choses? Perplexe, il remplit une fiche sur le nouveau pensionnaire qui dort d'un sommeil éternel sur la table de marbre.

En pénétrant au 385, rue Saint-Paul, Grondin est happé par le bouillonnement d'activité qui anime le poste de police. Ses collègues sont débordés. Ils reviennent, en effet, d'une rafle dans un tripot de la basse-ville. La maison de jeu a été découverte par hasard lors d'une fouille du secteur.

Lorsque le policier est parti de la rue du Sault-au-Matelot avec l'employé de la morgue, le chef a jugé bon d'entreprendre un ratissage du coin. Dans un entrepôt avoisinant, ses hommes ont perçu des bruits équivoques et une agitation suspecte. En poussant plus avant leur investigation, ils ont vite conclu que, si l'endroit attirait autant de matelots et de filles aux allures dévergondées, ce n'était pas pour réciter une messe.

Marins, prostituées et employés de la maison de jeu s'entassent avec mécontentement derrière les barreaux. Le chef étant trop occupé à orchestrer tous les détails résultant de son coup de filet, Armand garde pour lui sa théorie sur l'affaire de la gare. Il expédie en vitesse le rapport sur le cadavre de cette nuit et s'éclipse du poste.

Le visage enfoui dans ses mains, Angélique pleurniche. Maintenant qu'elle est de retour à la pension, recroquevillée sur le coin du lit de madame O'Brien, elle se laisse aller. Qu'a-t-elle fait au ciel pour mériter ça? Trop, oui, pour deux jours c'est beaucoup plus qu'elle ne peut endurer. Ses nerfs craquent et, malgré les paroles réconfortantes de sa patronne, elle ne parvient pas à se consoler.

— Allons, allons! tente de la soutenir madame O'Brien d'un ton bourru. Mon petit poussin, prends sur toi! Lolita en a vu d'autres. Mais cette manie qu'elle a d'aller racoler des clients n'importe où!

Se tournant vivement vers deux autres filles en jupon et en corsage légers, elle les admoneste:

— Interdiction formelle de flâner dans les rues pour au moins une semaine. Les réguliers nous connaissent, ils savent où nous trouver. Tant que ça va jouer dur dans le coin, on reste dans notre trou. Compris!

Dans un sursaut d'indignation, la jeune Angélique s'inquiète:

— Et Lolita? On la laisse tomber? Toute seule en prison, qu'est-ce qui va lui arriver?

Ses compagnes de travail s'amusent de sa naïveté. La nouvelle recrue connaît mal sa patronne.

— Mais non, tu t'énerves pour rien, affirme Sabrina, la grande rousse affalée dans un fauteuil râpé par le temps et un usage abusif. M'ame 'Brien veille sur toutes les poules de sa basse-cour. Elle a des contacts avec ben du beau monde, des messieurs chics de la haute. Avec eux autres, ça va être vite réglé.

— N'empêche que j'aurais pu m'en passer de cette affaire-là. Oh! Lolita, elle a le don de se mettre les pieds dans les plats! Après les problèmes de samedi soir, elle aurait pu se retenir un peu.

Comme si ces paroles réveillaient un souvenir douloureux, Angélique frissonne en grimaçant. L'autre fille, Rose-Aimée, se penche vers elle:

— C'est-y encore douloureux?

Angélique plonge son regard de chien battu dans les yeux bleus compatissants de sa camarade. Elle hausse une épaule endolorie, refoule un sanglot et se plaint d'une voix tremblante:

— J'pense que ç'a rempiré. Lolita m'a poussée par une fenêtre pour que je m'sauve. Le trou était ben étroit, j'accrochais quand j'ai déboulé l'autre bord. Tout ce que j'entendais, c'était Lolita qui me gueulait de courir.

— Du Lolita tout craché! Elle peut t'entraîner dans n'importe quoi, mais si y'a du trouble, elle est toujours prête à t'aider! médite Sabrina sur un ton admiratif.

— Si seulement ça lui servait de leçon, gronde madame O'Brien. Mais non, à la première occasion, elle va recommencer. Bon, cocotte, montre-moi ton dos.

Avec des gestes brusques et impatients, elle relève la blouse de son employée laissant apparaître de larges traces à fleur de peau. Ces blessures, qui pour la plupart commençaient à cicatriser, sont maintenant béantes et suppurent légèrement. La maquerelle évalue rapidement sa convalescence à un jour ou deux. Elle chasse ses filles. Après cette nuit mouvementée, elle a besoin de repos.

Armand Grondin, assis au bureau du chef de gare, relit les informations que Jolicœur lui a fournies. À l'arrivée du train, Timothé et Siméon étaient dans ce même bureau depuis une bonne demi-heure. De la fenêtre, on n'a qu'un faible aperçu du quai. Il faut vraiment se mettre le nez au carreau pour entrevoir les rails, et encore...

Ces deux-là n'ont donc rien à lui apprendre. Les porteurs se tenaient dans le hall, comme en ce moment, et ils ne sont sortis qu'en entendant le train siffler. Évidemment, ils ne savent rien. De son côté, Octave Robitaille travaillait dehors sur le quai, à ce qu'il prétend. Avec l'employé de la morgue, il devait décharger une livraison spéciale. C'est son supérieur qui lui en avait donné l'ordre. Ce que Jolicœur confirme: Robitaille était là pour charger les caisses dans les wagons. Mais juste avant que le train entre en gare, où était-il?

C'est à cela que réfléchit Grondin lorsque Timothé Jolicœur revient dans le bureau. Seul.

— J'ai eu beau le chercher partout, s'excuse le chef de gare, pas moyen de le trouver. J'ignore où il peut encore traîner!

Armand esquisse un sourire de satisfaction. Son intuition était la bonne. Robitaille a dû l'apercevoir et se sera enfui en comprenant qu'il était découvert. Inutile de s'attarder plus longuement ici.

5

Armand ressent une certaine fierté. Il sourit en pensant à la tête du chef lorsqu'il l'a mis au courant de son enquête. L'inspecteur Walter ne débordait pas d'enthousiasme à l'idée de rouvrir le dossier, mais il a dû se rendre aux arguments de son agent. La morte de la gare a probablement été assassinée. Le présumé coupable court toujours, mais on le connaît et sa capture ne devrait pas tarder.

Tandis qu'il rentre chez lui après une nuit de travail remplie, Grondin croise Victor Dubuc qui descend d'un pas pressé la rue Sainte-Famille. Il l'aborde avec entrain.

— J'ai une bonne nouvelle pour vous. L'affaire est réglée. Celui qui a tué la fille à la gare sera bientôt sous les verrous.

— Vraiment?

Armand qui désire exposer sa réussite prend cela pour un encouragement. Il lui dévoile aussitôt les derniers développements et s'attarde au raisonnement qui l'a amené à soupçonner un employé de la gare.

— Si personne de l'extérieur ne peut se promener sur le terrain sans être remarqué, les employés, au contraire, y circulent à leur guise. Il faut donc que le criminel soit l'un d'eux. C'est ce que vous avez déclaré le matin du meurtre qui m'a mis sur la piste de Robitaille. Il est le seul à n'avoir aucun alibi et aucun témoin de ses déplacements entre votre arrivée à la gare et celle du train. Car il ne vous a pas aidé à décharger tout de suite, comme Jolicœur le lui avait demandé, n'est-ce pas?

Victor est embêté. S'il est clair que la fille n'a pas succombé dans un accident, il n'avait pas encore envisagé sérieusement les implications d'un meurtre. Tout semble maintenant suggérer qu'un des employés de la gare serait l'assassin. Il essaie d'atténuer le sens de sa déclaration.

— C'est vrai, mais quand Robitaille est revenu du fond du terrain, les premières lueurs du soleil commençaient à éclairer le ciel. Je le voyais distinctement et il ne transportait rien. J'en suis sûr. Un corps de fille, ça ne se cache pas sous une veste.

— Mais quand il vous a quitté, il faisait sombre. Trop sombre pour que vous puissiez distinguer ses mouvements.

Victor doit admettre qu'il a raison. À ce moment-là, il aurait pu déposer la fille sur les rails. Mais où l'aurait-il trouvée? Et qu'avait-il donc à manigancer de si urgent pour l'empêcher de décharger la voiture?

Armand est convaincu d'avoir la réponse:

— Sa fuite, ce matin, prouve qu'il est coupable. Oui, je suis allé à la gare pour l'interroger et il a filé en douce. Vous venez au poste avec moi? Je vais noter officiellement votre déposition.

— Désolé, je suis presque en retard pour mes cours. Si, à la place, je passais vers midi, ça ne vous ennuierait pas trop?

— Ça ira. L'agent de service s'en chargera.

Attablé près de la fenêtre du café *Le Clairon d'Or,* Victor dévore son seul repas chaud de la journée. Il aime l'endroit; le service y est rapide, la nourriture excellente, les prix plus qu'abordables pour son maigre salaire et ce n'est qu'à deux pas de la faculté. Il y a quelques minutes, le restaurant était envahi par les étudiants de l'université pour le lunch du midi, mais il a été déserté car les cours débutent bientôt.

Avant qu'il n'ait terminé son dîner, Victor avise trois hommes accompagnés d'une jeune femme qui discutent dehors près de l'entrée. Même si elle lui tourne le dos, il la reconnaît à son allure: la belle inconnue, celle qui l'a abordé à deux reprises déjà. En la voyant avec Napoléon Vaillancourt, le fils d'un de ses enseignants, Victor en conclut que c'est lui qu'elle désirait rencontrer l'autre jour.

Le deuxième homme, un peu plus âgé, n'évoque aucun souvenir dans l'esprit de Victor, mais il n'en va pas de même pour le troisième. C'est Louis Bélair, un avocat avec qui il s'est entretenu, tantôt, au poste de police et qui assure la défense de Robitaille.

Les policiers n'ont pas perdu de temps. Cet avant-midi, ils ont surveillé l'appartement de Robitaille et n'ont eu qu'à le cueillir à son retour chez lui, sous prétexte de vérifier certains renseignements de sa déclaration. Évidemment, il a nié s'être enfui de la gare.

Quand Victor s'est présenté vers midi, il a été confronté avec Robitaille, ce qui a failli mal tourner. L'employé de la gare, furieux, a essayé de s'en prendre à lui. Cet acte de violence n'était pas pour aider sa cause.

C'est Bélair qui a réussi à le convaincre de se calmer en affirmant qu'il n'existait aucune preuve formelle contre lui. D'autant plus qu'on ne peut accuser personne de meurtre tant que le coroner n'a pas certifié que la victime a été assassinée. Robitaille n'a pas été arrêté, mais prévenu de ne pas quitter la ville.

«Si seulement il était resté sur le quai pour décharger les cercueils, il ne serait pas soupçonné», songe Victor. N'y pouvant rien, il avale sa dernière bouchée et jette quelques sous sur la table.

En sortant du restaurant, il répond par un imperceptible signe de tête au sourire que lui adresse la demoiselle. Aucune parole n'est échangée, mais il est flatté de constater qu'elle ne l'ignore pas. Quand il arrive à la porte de la faculté, il est rejoint par Napoléon Vaillancourt qui marmonne, essoufflé:

— Vite! Le saint patron déteste les retardataires!

Côte à côte, les deux étudiants grimpent en toute hâte vers leur salle de cours. En y pénétrant, ils voient un homme aux tempes grisonnantes qui tourne vers eux un regard glacé. Maîtrisant son irritation, il montre sa désapprobation d'une voix unie:

— Monsieur Dubuc et Monsieur Vaillancourt, votre manque d'exactitude dérange vos camarades de classe. Venez me rencontrer après les cours pour m'expliquer les motifs de cette entorse au règlement.

Victor reconnaît là son professeur, le docteur Théophile Vaillancourt, un maniaque de la ponctualité! Personne n'y échappe, son fils pas plus que les autres.

Même si la salle de la cour criminelle du Palais de justice est bondée, Louis Bélair n'a qu'un signe à faire au gendarme qui garde l'entrée pour être admis. L'avocat, malgré ses années de service limitées à cause de son jeune âge, s'est acquis une bonne réputation dans le milieu judiciaire de Québec. Il se faufile à l'intérieur, suivi d'Élise Vaillancourt et de l'homme qui les accompagnait au restaurant. Tous les sièges étant occupés (l'enquête sur l'effondrement du pont de Québec attire une foule de curieux), ils s'installent au premier rang des spectateurs debout. Louis aperçoit clairement le dos corpulent de son père qui se trémousse nerveusement sur sa chaise.

Le député Valmore Bélair est inquiet. Depuis que le gouvernement fédéral a institué une commission royale d'enquête sur la chute du pont, il a assisté à toutes les séances. Sa position politique et ses intérêts personnels dans la Quebec Bridge Company l'obligent à garder un œil sur toute cette affaire. Le gouvernement fédéral ayant octroyé un million de dollars et lui-même ayant investi une partie de la fortune de sa femme, par l'achat de bons de la compagnie, il sue à la seule pensée que l'enquête fasse ressortir des fautes professionnelles qui risqueraient de l'éclabousser. Surtout qu'il est un des directeurs de la Compagnie du pont de Québec. Il se sent donc terriblement embarrassé que les dépositions des témoins contredisent celle de l'ingénieur de la compagnie. En effet, l'ouvrier, présentement à la barre, affirme:

— Oui, m'sieur, je l'ai vue sur un des piliers du centre, celui du côté ouest. Il y avait une plaque de métal d'à peu près trois pieds sur trois. C'est au centre de cette plaque que la fissure commençait. Je dirais qu'elle avait un bon vingt pouces de long, large comme mon doigt. Elle allait du milieu jusqu'au bord, en bas de la plaque.

— Monsieur Lafrance, racontez-nous comment vous avez découvert cette fêlure? l'interroge un commissaire.

— Mon ouvrage, c'était de nettoyer le pilier. Je travaillais avec mon cousin, Gérald Ouimet. C'est lui qui l'a vue le premier. Là, il m'a montré la plaque, juste au-dessus de ma tête, à huit pieds de haut. On a travaillé trois ou quatre jours au même endroit. On regardait souvent la plaque, dès fois que...

Une bruyante vague de désapprobation court dans l'assistance. Après un bref rappel à l'ordre, le commissaire prie le témoin de désigner, sur une photographie du pont, l'endroit exact de la fêlure. Puis, il persévère dans sa quête de renseignements:

— Où étiez-vous lorsque l'accident s'est produit?

— Chez moi. Ben, ce jeudi-là, il ventait trop fort. J'ai travaillé jusqu'à deux heures de l'après-midi et j'ai failli tomber une couple de fois à cause des rafales. Fait que... j'ai décidé de rentrer à la maison. Il y en a d'autres qui sont partis. Je pense que j'ai eu pas mal de chance.

— En effet, monsieur. Vous pouvez vous retirer.

Tandis que l'ouvrier se fraie un chemin jusqu'à la sortie où l'attendent sa femme et ses enfants, la foule bourdonne de commentaires. Ce que l'on vient d'entendre corrobore les propos d'un autre employé qui prétendait, quelques jours avant la catastrophe, que le pont allait s'effondrer à cause d'une fêlure dans la structure. Le pauvre homme ne peut malheureusement témoigner puisqu'il est maintenant cloué sous les débris du pont.

Le compagnon de Louis lui persifle à l'oreille:

— Maître Bélair, la compagnie de votre pauvre petit papa est dans l'eau chaude.

— Maître Vaillancourt, ne vous réjouissez pas trop tôt. La compagnie est dirigée par de vieux singes qui savent retomber sur leurs pieds.

— C'est vrai, personne ne leur montrera à grimacer. Et puis, ils peuvent toujours payer en monnaie de singe, ils en ont l'habitude.

— Oh! Eugène! objecte Élise sans conviction. Tu devrais avoir honte de parler ainsi. Les cancans et les ragots rabaissent toujours les calomniateurs. N'oublie pas que notre père aussi possède quelques actions dans la compagnie.

— Désolé, sœurette, mais je n'éprouve aucune pitié pour les gaffeurs. Et tu n'imagines pas à quel point cette erreur-ci est de taille.

Louis observe son collègue, et futur beau-frère, du coin de l'œil avant de reporter toute son attention sur Élise. Il glisse un bras autour de la taille de sa fiancée et l'attire vers lui.

— Les discours anticonformistes de ton frère ne m'impressionnent pas. La vie se chargera toute seule de le ramener dans le droit chemin.

— Ne te leurre pas de faux espoirs, souffle Eugène à mi-voix. Je ne désire pas compromettre ma réputation de bête noire de la famille. Toujours est-il que j'ai ouï-dire certaines rumeurs au sujet d'un télégramme qui aurait pu sauver la vie aux ouvriers. S'il était arrivé à temps, évidemment.

— Si ça s'est rendu jusqu'à tes oreilles, c'est que tous les journaux d'hier en ont parlé.

— C'est vrai? s'enquiert Élise en se dégageant de l'étreinte de son fiancé.

Irrité qu'elle s'éloigne ainsi, Louis soutient avec un peu d'impatience, mais en évitant de hausser la voix:

— Absolument! L'ingénieur-conseil de la compagnie qui était à New York a câblé le matin même de l'accident pour stopper les travaux. Il croyait qu'il valait mieux procéder à un examen minutieux avant d'installer des charges additionnelles sur le pont.

— Quelles raisons a-t-il invoquées pour imposer ce délai? s'informe Eugène, toujours sur le même ton.

— L'ingénieur de Québec avait relevé des indices inquiétants dans la structure du pont. Seulement, tu sais que les télégraphistes des États-Unis sont en grève. L'ordre est finalement arrivé ici à peu près au moment où le pont s'effondrait. Pas de veine!

Le sourire cynique qu'affiche Louis dénote au contraire que ce désastreux retard ne lui cause aucun chagrin. Ainsi va la vie! Eugène garde pour lui ses commentaires sarcastiques et propose plutôt de changer d'air. Sa sœur accepte avec empressement. La chaleur écrasante qui règne dans la salle et les révélations de son fiancé la mettent mal à l'aise. Louis, quant à lui, préfère rester en prétextant qu'il a à discuter avec son père après la séance.

Lorsque Eugène se retrouve sur le trottoir, il commente:

— J'ai parfois l'impression que côtoyer d'aussi près la politique provoque des effets néfastes sur notre ami. Sa démarcation entre le bien et le mal me semble assez floue.

— Tu exagères encore, riposte Élise. À t'entendre, Louis n'a pas de cœur.

— En deux mots, tu as réussi à résumer ma pensée.

— Comment peux-tu croire ça! Tu te trompes sur lui. Louis est la bonté même. La preuve: il plaide régulièrement pour des gens démunis qui n'ont pas les moyens de se payer un bon avocat.

— Justement ce qu'il n'est pas!

— Oh! Eugène, pourquoi l'insultes-tu dans son dos?

— Simplement pour vérifier si tu vas prendre sa défense. Je blaguais. Louis est un excellent avocat et, toi, tu es la femme idéale. Tu ne vois jamais le mal nulle part. D'ailleurs, à propos de mal... Père n'est pas très content de ta visite à la faculté de médecine.

Élise qui a déjà affronté les foudres du docteur Vaillancourt hausse les épaules pour chasser ce sujet de conversation. Mais il en faut plus pour détourner son frère de son but.

— Entrer à l'université, passe encore, mais en compagnie d'un homme, pas trop laid de sa personne, de surcroît, enfin c'est ce que Napoléon a laissé entendre... Louis pourrait exiger des explications.

— Le mariage n'est pas le cloître, que je sache. Je peux demander mon chemin à qui je veux.

— Comme défense, c'est acceptable. Mais qu'as-tu à présenter pour le sourire enjôleur que tu as envoyé à un certain blondinet devant *Le Clairon d'Or*? Louis n'a émis aucune remarque, mais il n'est pas aveugle.

Élise imite un air de découragement et attrape son frère par le coude en s'exclamant:

— Eugène, tu es un monstre. C'est l'unique raison pour laquelle je t'aime autant.

— Non, non, tu ne me corrompras pas avec de basses flatteries. Allez, passe aux aveux. De quoi t'es-tu rendue coupable avec cet inconnu? Et qui est-il?

Comment résister à un frère qu'on adore et dont la complicité n'a jamais failli depuis sa plus tendre enfance. Elle lui relate donc ses deux seules rencontres avec l'étudiant dont elle ignore le nom. Après l'avoir écoutée, il conclut, amusé:

— Et ce redresseur de torts, ce défenseur de la morte et de l'orphelin te plaît!

— Ne sois pas ridicule. Tu oublies que je suis fiancée.

— C'est plutôt toi qui l'oublies. De toute façon, moi, ça m'est égal. Mais imagine la réaction de notre cher père, s'il vient à entendre ça.

Élise baisse la tête. Elle sait parfaitement qu'il lui ferait une scène terrible. Il est tellement à cheval sur les convenances. Le respect des usages importe plus que tout. Les intentions d'une fiancée ne doivent jamais porter à confusion et elle doit éviter les contacts de tout ordre avec les autres hommes. Elle brûle d'envie d'envoyer promener ce carcan opprimant. Aussi fixe-t-elle son frère de ses yeux vifs et enjoués.

— Je ne vois vraiment pas pourquoi je m'en ferais puisque j'aime Louis. Entretenir une conversation dans un parc public au vu et au su de tous n'a rien de répréhensible. Et si Louis manifeste un peu de jalousie, tant mieux! Ça ne lui fera pas de tort. Il est un peu trop sûr de lui.

Riant à cette idée, elle ignore délibérément les problèmes qui pourraient en résulter. Eugène n'est pas convaincu que ce soit la bonne attitude. Il se garde pourtant de le lui faire remarquer.

À l'heure où se répand dans l'air un appétissant fumet émanant des chaudrons, Victor se retire dans sa chambrette. Cherchant à s'isoler du monde extérieur, il ajuste un carton dans l'ouverture de la fenêtre pour bloquer ainsi toute entrée de lumière.

La fatigue qui le gagne ne diminue pourtant en rien l'état d'excitation qui vibre en lui. Victor est heureux, malgré les remontrances que lui a adressées son enseignant sur son retard. Sur le chemin du retour, il n'a cessé de siffloter. Comme ça. Pour rien. Pour tout. Pour l'information que Napoléon Vaillancourt a laissé tomber, innocemment. La charmante demoiselle qui l'accompagnait devant le restaurant n'est pas sa fiancée, ni sa petite amie. Elle est sa sœur, Élise Vaillancourt. Plus Victor pense à elle, plus il est séduit et surpris. Comment a-t-il pu ignorer si longtemps que son camarade de classe depuis le Petit Séminaire était le frère d'une jeune fille aussi séduisante? Du même coup, une sympathie non désintéressée retombe sur Napoléon.

Tour à tour, il lance sur une chaise son veston, sa chemise et sa camisole. Il déboutonne son pantalon lorsque de légers coups se font entendre à sa porte.

— Monsieur Victor, insiste une voix, je sais que vous êtes là.

Rose-Aimée pousse le battant et marche vivement jusqu'à lui tout en serrant un châle fripé et troué autour de ses épaules. Si elle espère que ce geste lui donnera une allure plus décente en cachant son corsage trop osé, elle se leurre. Elle ne parvient qu'à attirer davantage l'attention sur ses rondeurs.

— C'est à cause d'Angélique, lui confie-t-elle sans se préoccuper de l'embarras de Victor. On aurait besoin de votre aide.

— Je ne vois pas en quoi je peux vous être utile, bafouille-t-il en remettant sa chemise avec des gestes précipités.

Elle s'approche encore. Elle est tellement près de lui qu'il peut humer l'odeur musquée qui se dégage de son corps chaud et attirant. Il se raidit, comme s'il craignait une attaque de sa part, pendant qu'elle lui expose le motif de sa démarche:

— Toutes les filles le savent. Vous étudiez pour être docteur. Angélique est malade et la patronne refuse de faire venir un médecin pour ça. D'après elle, ce serait juste gaspiller deux sous pour rien! Mais la pauvre Angélique, elle a mal! Alors, j'ai pensé que peut-être, enfin si ça vous dérange pas, vous pourriez l'examiner...

Elle se tait et guette sa réaction. Il hésite. A-t-il le droit d'intervenir? Une semaine de cours à la faculté ne le transforme pas en un professionnel de la médecine, il en est conscient. Il sait aussi que les charlatans et les pseudo-médecins ne sont pas tolérés. S'il fallait qu'on apprenne à l'université qu'il s'amuse à soigner les gens sans en avoir les compétences, il serait automatiquement renvoyé.

Voyant sa réticence, elle se colle tout contre lui et murmure pour le convaincre:

— Je vous en prie, faites un bon geste. Elle souffre tellement. Ce serait trop cruel de la laisser pâtir de même.

Elle s'est emparée de la main de Victor et la presse sur sa poitrine. Au contact de la peau chaude de la jeune fille, il rougit jusqu'aux oreilles et oublie les règles strictes de son art.

— Bon... d'accord! Je vous accompagne.

Sans lâcher sa main, elle le remercie avec effusion et l'entraîne vers la pièce au fond du couloir. Victor entre dans une chambre à l'aspect encore plus minable que la sienne. Les murs sales laissent apparaître des taches d'humidité, cadeaux de la dernière pluie qui s'est infiltrée par le toit lézardé. Les lambeaux qui pendent à la fenêtre ne sont qu'un vague souvenir d'un rideau aux jours meilleurs. Aucun meuble, sauf une paillasse posée à même le sol servant de lit.

Sous la couverture crasseuse, la dernière acquisition de madame O'Brien frissonne. D'inquiétude autant que de fièvre. Angélique, qui a été ramassée dans la rue, il y a peu de temps, par la secourable Lolita, n'a pas droit aux chambres plus confortables du premier. Elles sont réservées aux filles qui ont prouvé leur valeur et qui ont de bons clients assidus et généreux. Angélique sait que ses chances de descendre d'un étage seront compromises si elle se lamente trop pour travailler. Elle risque même de retourner d'où elle vient.

Victor pose ses doigts sur le front et sur le cou de la malade; la chaleur du corps n'est pas trop élevée. À cet instant, il regrette son manque d'expérience.

Avec des phrases brèves et hésitantes, Angélique le renseigne vaguement sur les causes de son mal. Elle ne veut visiblement pas approfondir le sujet. Rose-Aimée qui s'est installée d'autorité à côté de l'étudiant se montre plus loquace.

— C'est un client, une espèce de gros porc plein de foin, qui l'a amochée. Z'auriez dû la voir, dimanche matin, quand elle est revenue, elle avait de la misère à se traîner. Ça lui faisait trop mal. Il l'a pas ratée, ce maniaque-là.

— Chut! balbutie Angélique. Tais-toi. Si madame t'entendait.

La jolie blonde hausse les épaules pour signifier qu'elle ne craint pas sa patronne et ordonne:

— Tourne-toi que monsieur t'examine! Il a autre chose à faire que de perdre son temps à nous écouter placoter.

Obéissante, Angélique change de position en grimaçant. Rose-Aimée, sans aucune pudeur, rejette la couverture révélant ainsi à l'apprenti médecin le corps maigre et meurtri de son amie. De larges ecchymoses marquent son dos de l'épaule jusqu'aux reins. Au centre de la plupart de ses empreintes douloureuses, les blessures se transforment en plaies ouvertes.

— Avec quoi vous a-t-il frappée?

— Avec ses poings. Il était fâché contre moi. Il gueulait que je pouvais pas le contenter. Il chicanait et il frappait. Sa... sa bague me rentrait dans la peau.

Si pour les nombreuses traces bleuâtres on ne peut qu'attendre qu'elles se résorbent d'elles-mêmes, Victor s'inquiète de l'infection qui se propage dans les lésions. Persuadé que le manque de propreté nuit à la guérison, il met en pratique les incontournables principes d'asepsie du docteur Vaillancourt.

— Il faut de l'eau chaude et des linges propres. Vous avez de l'eau de Javel? Diluez-en quelques gouttes dans l'eau.

Voyant les yeux de Rose-Aimée s'arrondir, il la rassure:

— Ce n'est pas pour boire mais pour désinfecter. J'aurais préféré de la chlorure de chaux, mais je n'en ai pas sous la main, alors il faudra s'en contenter.

Pendant qu'elle court lui préparer cet étrange médicament, il palpe le dos d'Angélique, redoutant des blessures internes. Il ne pourrait le certifier, mais il croit qu'elle a une côte brisée ou fêlée. À cela, aucun remède! Seule l'inactivité est apte à la guérir. Il la soupçonne pourtant de vouloir se remettre au travail au plus vite.

Cherchant ce qu'il pourrait accomplir de plus pour la soulager, il se rappelle posséder une pommade à base d'oxyde de zinc. Un souvenir de sa vieille tante Emma. Elle s'en appliquait régulièrement sur ses mains gercées et abîmées par les travaux ménagers. Lui-même s'en était abondamment servi au début de l'été pour guérir ses ampoules occasionnées par son travail de débardeur.

Il va chercher son pot miracle et lorsque Rose-Aimée revient, un cruchon et des guenilles à la main, il lui explique sommairement:

— Nettoyez ses plaies deux ou trois fois par jour. Ensuite, étendez une mince couche de crème sur les blessures. Pour éviter que des saletés y pénètrent, placez un linge propre sur ses plaies. Normalement, elle devrait se rétablir bientôt. Si, au contraire, elle ne prend pas de mieux, prévenez-moi.

Il retourne à sa chambre. Le froufrou des jupons de Rose-Aimée le pourchasse jusque-là. Souriante et engageante, elle se glisse derrière lui dans la pièce sombre.

— Quelque chose ne va pas, mademoiselle?

Elle se plaque contre lui, insistante, abandonnant son châle du même mouvement. Ses yeux expriment un mélange excitant de candeur et de langueur. Sa bouche lance une invitation non équivoque. Ses mains glissent sous la chemise de Victor et frôlent l'épiderme du jeune homme qui frémit. Il recule et bégaye qu'il ne comprend pas ce qu'elle désire. Déçue par tant de résistance, elle lui met les points sur les *i*.

— C'est pour votre paiement, monsieur. Un service en attire un autre.

— Vous vous trompez, je... je n'ai jamais pensé être payé pour ça.

Pour se donner une contenance, il ramasse le châle et le lui tend.

— Entre voisins, il faut s'entraider. Si j'exigeais quelque chose en échange de ce service, j'aurais l'impression d'abuser de votre reconnaissance. Vous n'êtes pas riches, moi non plus. Si les pauvres commencent à s'exploiter entre eux, c'est le monde à l'envers. Un service, c'est gratuit! Et puis, je ne suis pas encore un véritable médecin, un novice ne peut pas réclamer des honoraires pour quelques conseils.

Rose-Aimée le fixe un instant. C'est la première fois qu'on refuse ses attraits. Curieusement, elle ne s'en offusque pas. Elle se sent plutôt soulagée qu'il rejette son offre. Elle ne tenait pas vraiment à cette relation. Elle a déjà tellement de travail, sans cela.

Elle n'avait jamais vraiment prêté attention au pensionnaire de la maison, mais en l'examinant à présent elle le trouve assez mignon. C'est peut-être le rouge qui lui monte aux joues qui le rend séduisant. Par effronterie, pour attiser sa timidité, elle lui saute au cou et l'embrasse goulûment sur la bouche en guise de remerciement avant de disparaître.

Éberlué, il écoute ses pas s'éloigner dans le couloir. Ce baiser enflammé le porte à douter de sa décision. Il aurait certainement eu beaucoup de plaisir à profiter des bonnes grâces de la fille. Les charmes dodus de Rose-Aimée ne l'ont pas laissé indifférent. Peut-être qu'une prochaine fois... Souriant à cette idée grivoise, il s'installe pour un repos mérité.

Quand le sommeil le gagne enfin, Victor est hanté de rêves plus dérangeants les uns que les autres. Il enjambe des piles de bras et de têtes; il traque des trains en soufflant comme une locomotive; il est agressé par des centaines de poings ornés de bagues; il se perd dans un dédale de rues qu'il ne reconnaît pas. Néanmoins, dans les replis de son cerveau, il sait que tout cela s'avère purement onirique et que, tôt ou tard, il se réveillera.

Flottant entre la réalité et la fiction, Victor attrape un corps de femme tombé du ciel, aux formes douces et fermes. Il ne parvient pas à identifier le parfum qui s'en dégage, mais il ressent un pressant besoin de s'en imprégner en laissant glisser son nez partout sur cette peau offerte, de la boire à pleine bouche, de la goûter du bout de la langue. Il frémit et s'agite frénétiquement, poussé par le désir incontrôlable de s'approprier le fruit défendu. Plus rien ne le retient. Évanouie la gêne du débutant, envolées les règles religieuses qui commandent la retenue. Il s'enlise avec délectation dans ce péché de la chair, il devient arrogant dans la satisfaction de son envie. Levant les yeux sur la créature consentante, il se réveille en sursaut.

Ébranlé, encore sous le choc de ce songe violent de réalisme, Victor ne se rend pas tout de suite compte de la pollution nocturne qui souille son lit. Lentement, il laisse sa raison et ses sens réintégrer leur place respective. Maudissant sa faiblesse masculine, il repousse ses draps, dévoilant sa nudité qu'il s'empresse de laver. Comme si l'eau glacée de sa bassine pouvait le purifier de son vil réflexe.

Depuis qu'il habite dans cette pension, ce genre d'accident se produit de plus en plus fréquemment. Subirait-il la mauvaise influence de ses voisines? Il est évident que le sexe opposé l'obsède au plus haut point. Les avances de Rose-Aimée ne manquaient pas d'à-propos, après tout. Mais, trop tard, il les a stupidement repoussées!

La vision de son rêve lui paraissait si tangible qu'il a encore l'impression de tenir dans ses doigts l'épaisse chevelure brune. Brune, non pas blonde comme Rose-

Aimée. Le cœur battant, il revoit clairement les traits de celle qui l'a enchanté et ensorcelé pendant qu'il dormait. Il est torturé par le remords en y apposant un nom: Élise Vaillancourt.

6

Pour la deuxième nuit de suite, le vieux Siméon n'est pas au travail. Il semble qu'il sera absent pour le reste de la semaine. C'est ce que le docteur Sirois a annoncé, avec froideur. Froideur n'est pas le terme juste. Victor devine derrière le masque d'indifférence hautaine du médecin une rage plus ou moins bien dissimulée qui n'aspire qu'à éclater. La vue du cadavre allongé dans la salle d'examen de la morgue éclaire l'étudiant sur la raison de cette colère.

C'est la fille de la gare. En décidant de rouvrir le dossier de cette affaire, les enquêteurs ont récupéré les pièces à conviction nécessaires à cette opération. Le corps a réintégré la morgue pour un examen plus approfondi. Victor imagine facilement la déception du docteur Kingsley qui perd son outil de travail! Et que présumer de l'humiliation ressentie par le docteur Sirois qui n'a pas su découvrir les indices d'un meurtre? Son flegme apparent ne sert qu'à cacher l'opprobre qui retombe sur lui.

Victor soupçonne qu'il vient de se gagner deux ennemis ou à tout le moins deux enseignants qui le garderont à l'œil. Ennuyé par cette idée, il tente en vain de travailler. Tandis que le médecin légiste procède à une deuxième autopsie, il piétine, n'avance à rien. N'y tenant plus, il propose son aide au docteur, un peu pour obtenir son pardon, beaucoup par intérêt. Il n'a pas vraiment eu le loisir d'examiner le cadavre à son goût. Il aimerait justifier toutes les difficultés de cette nouvelle enquête causée par son entêtement.

Sirois le dévisage d'un air méprisant, puis il accepte avec un sourire énigmatique.

— Pourquoi pas? Après tout, vous y avez une part de responsabilité. Puisque tout cela vous amuse au plus haut point, distrayez-vous!

— Je ne prends pas ça pour un jeu. Vous interprétez mal mes intentions. L'assassinat de cette fille, j'y crois vraiment. Je suis convaincu que quelqu'un l'a tuée. Regardez son visage, elle a eu peur! Mais pas du train, de celui qui l'a étranglée. Je ne joue pas. J'espère seulement que la justice soit la même pour tous.

L'insinuation est évidente, pourtant Sirois sourit plus franchement. Cette envolée enthousiaste est marquée du sceau de la jeunesse. Le temps et l'expérience se chargeront assez vite de balayer cette naïveté à moins qu'elle ne s'enlise sous le désenchantement.

— Allons, tant qu'à être ici, je vais vous donner une leçon privée de médecine légale. Approchez!

Encouragé par le ton plus aimable de son professeur, Victor est tout ouïe. Chaque commentaire est enregistré au fond de sa mémoire. Il est attentif aux explications sur la différence de la coagulation du sang avant et après la mort.

— Dans le cas présent, il est impossible de vérifier la consistance du sang, vu qu'on le lui a retiré pour les expérimentations de l'université. La forte odeur qui se dégage du corps est celle de la formaline qu'on a injectée dans ses vaisseaux sanguins ainsi que dans l'estomac et dans l'abdomen pour empêcher la putréfaction. Ça restreint du même coup ce second examen. Alors si je me réfère au premier diagnostic, spécifie le docteur en fouillant dans ses notes, elle a des ecchymoses sur le corps, principalement sur la poitrine et dans le dos, et elle a deux côtes brisées. Rien d'étonnant, après avoir été heurtée par un train! Il y avait aussi présence d'un caillot sur les parties coupées, un minuscule caillot. Ça peut signifier que les blessures ont été produites au moment de la mort ou plus tard.

Abandonnant ses papiers, il s'attarde à la tête de la victime. À l'aide d'une loupe, il scrute le sillon gravé sur la peau séchée et brunie du cou. Victor observe ses moindres gestes.

— Croyez-vous que ce peut être la marque d'un foulard?

— Si c'en était un, il était mince ou roulé très serré sur lui-même. Je pense plutôt que c'est le résultat de l'enroulement d'un cordon. Celui de son chapeau. C'est d'ailleurs ce que j'avais noté dans son dossier.

— Ça pourrait aussi être une corde.

Sirois ne le contredit pas car son regard est rivé sur la coupure du cou. Ce qu'il voit maintenant l'embête. Comment ce détail a-t-il pu lui échapper? Il était pressé, soit. Son confrère, Kingsley, le bousculait passablement pour mettre la main sur un cadavre, mais ce n'était pas une raison pour escamoter une partie de son enquête. Dubuc aurait peut-être raison, après tout. Aurait-il manqué de professionnalisme?

— Maudit! jure-t-il en frappant du poing la table de marbre.

Victor sursaute. Déconcerté, il dévisage son professeur qui marche lourdement de long en large avant de s'asseoir sur un banc. Un coude appuyé sur la table,

Sirois serre fortement son poing sur ses lèvres. Il s'admoneste intérieurement, mais ne peut s'en prendre qu'à lui-même.

— Regardez! exige-t-il en reprenant son sang-froid. Voilà la preuve qu'elle était morte avant d'être décapitée.

Victor examine avec attention l'endroit indiqué. Les bords des plaies du cou et du bras sont nets et lisses, ayant été tranchés d'un seul mouvement vif. Il lève des yeux interrogateurs. Qu'y a-t-il là d'extraordinaire?

— C'est pourtant évident, s'impatiente Sirois. C'est la rétraction des tissus. Chez un être vivant, après une coupure, les tissus se retirent, se crispent d'une façon inégale. Tandis que là, tout est parfaitement droit, uni. Donc elle n'était pas vivante quand le train l'a écrasée. C'est vous qui l'avez ramassée sur les rails? Tâchez de vous rappeler, y avait-il beaucoup de sang répandu sur le sol?

— Difficile à affirmer. La voie ferrée est posée sur de la petite roche, du gravier. C'est exprès pour éponger la pluie. Alors la quantité de sang... Je l'ignore, mais il me semble que sa robe n'était pas tellement tachée. C'est important?

— Primordial! Un cadavre ne saigne pratiquement pas, mais une vivante pourrait se noyer dans son sang. Façon de parler, évidemment! On dirait bien que c'est un meurtre. De plus, on n'a pas retrouvé près d'elle l'instrument de la strangulation et les morts n'ont pas l'habitude de cacher l'arme du délit.

Délaissant la morte, Sirois va à son bureau pour y noter ses dernières observations. Victor demeure près de la table, perplexe et jongleur. Maintenant que la vérité est enfin découverte, que le docteur Sirois admet qu'il y a eu meurtre, l'étudiant devrait ressentir de la satisfaction. Mais cela ne rendra pas la vie à cette malheureuse, il en est conscient et demeure songeur. Il contemple le visage de la victime, ses traits figés pour l'éternité. Le curieux repli de sa lèvre supérieure l'intrigue. Ne parvenant pas à lui refermer la bouche, il soulève la lèvre avec précaution. Sur la gencive et l'intérieur de la lèvre, il aperçoit un dessin aux formes profondément marquées. Cette trace a l'apparence d'une blessure séchée, comme parcheminée.

Il prévient le médecin de sa trouvaille. Celui-ci l'examine à la loupe et conclut:

— Un objet dur et contondant a été appuyé à cet endroit. Je dirais que ça s'est produit après sa mort ou pendant. Il n'y a pas de sérosité, c'est-à-dire qu'aucun liquide organique ne s'est accumulé dans l'ecchymose. La trace est franche et nettement visible. Calquez-la, ça servira peut-être à quelque chose lors de l'enquête.

Trop heureux de pouvoir se rendre utile, Victor reproduit minutieusement le dessin de la blessure. Il s'agit d'un ovale au pourtour inégal d'environ un quart de pouce de large et d'un demi-pouce de long. À l'intérieur, des lignes sinueuses effectuent des boucles gracieuses qui ne représentent rien de particulier.

Ayant ausculté le cadavre sous tous ses angles, après avoir inscrit ses remarques et ses recommandations dans le dossier, et jugeant qu'il a donné suffisamment de son temps, le médecin légiste s'apprête à partir.

— Vous pourrez vous vanter d'avoir une longueur d'avance sur vos camarades. Peu d'entre eux ont reçu une leçon particulière aussi complète.

— Je vous en remercie, mais j'aurais garde de me vanter de quoi que ce soit. Je ne retire aucune satisfaction personnelle de ce qui s'est passé ce soir, seulement du soulagement. Je suis surtout content parce que l'on va pouvoir mettre la main au collet du coupable.

— Oh! Comme vous y allez! Ne vous emballez pas trop. Il est vrai que c'est un meurtre et que nous savons que la victime a été étranglée avant d'être abandonnée sur la voie ferrée, mais ça ne nous renseigne pas tellement sur son agresseur. Ses motifs peuvent être multiples. Le vol, la jalousie, la vengeance... Sous l'effet de la colère, un homme peut avoir dépassé les bornes. Même le viol peut être envisagé. Impossible de vérifier cette dernière hypothèse: le décès remonte à trop loin. Et puis, s'il s'agit d'une prostituée – personne ne l'a réclamée et elle portait une robe plutôt suggestive et voyante –, enfin si elle est vraiment une prostituée comme je le suppose, on aurait eu neuf chances sur dix de découvrir des résidus de sperme. Non, ce n'est pas elle qui va nous renseigner sur son assassin. D'ailleurs, ce n'est pas à nous de tirer ça au clair. C'est au tour des inspecteurs de mener leur enquête. N'oubliez pas ça. Le travail du médecin légiste se termine avec la rédaction de son rapport. Pour le reste...

Il s'empare de sa canne et de son chapeau melon et quitte la morgue sans autres salutations.

Demeuré seul, Victor est hanté par la pensée de la victime. Ses idées tournent autour du meurtrier anonyme. Qu'il ait étranglé la fille, soit; mais comment pouvait-il déposer son corps sur les rails? Il est prêt à jurer qu'il n'a vu personne à cet endroit, à part Robitaille. Et il ne portait aucun cadavre dans ses bras. Ce qui n'a pas empêché la morte d'apparaître sur la voie ferrée une quinzaine de minutes après le passage du train, la gorge et un bras tranchés par les roues.

Il y a dans tout cela un mystère qu'il ne parvient pas à élucider. Les morts ne bougent pas tout seuls, il faut que quelqu'un les transporte. Plus il y pense, plus il est convaincu de l'innocence de Robitaille.

Quand celui-ci l'a laissé sur le quai, il faisait encore noir, mais pas trop, de sorte que de loin on pouvait deviner ses mouvements. Un cadavre, ça ne se cache pas dans une poche. Lorsqu'il est revenu, Victor distinguait de mieux en mieux tout le terrain de la gare. Robitaille avait les mains vides. Il était détendu et affichait un sourire enjoué. Un assassin peut-il avoir une attitude aussi calme après son méfait? Non, Robitaille n'y est pour rien. Alors, qui? Et surtout, comment?

Incapable de formuler des réponses valables à ses interrogations et guère plus apte à se pencher sur ses études, il arpente les salles de la morgue dans le but de se changer les idées. Dans l'une d'elles repose le corps de l'homme trouvé sur la falaise du Cap-aux-Diamants. Il a été autopsié aujourd'hui.

Piqué par la curiosité, Victor lit le dossier. Il connaît les consignes, c'est strictement interdit, mais il brûle d'envie de savoir ce que le docteur Sirois a noté sur ce cas.

La mort remonte à quelques jours. Elle a été causée par un objet tranchant qui a transpercé l'abdomen en un seul coup, sur une longueur de quatre ou cinq pouces, lacérant les organes internes. Une remarque du médecin indique qu'il suppose qu'une fois l'arme dans le corps, elle n'a été retirée qu'après un violent mouvement vers le haut. Ce qui expliquerait la longueur de la marque. Les nombreuses déchirures et les divers trous qui abondent sur le devant du corps ont été effectués après le décès. Ils sont sûrement le résultat de la goinfrerie des oiseaux. Toutes les autres blessures, ecchymoses et plaies superficielles, peuvent avoir été produites lors de la chute.

Victor, l'esprit en bataille, revient dans l'entrée. Qu'est-ce qui peut pousser un homme à s'attaquer à ses semblables? La colère, l'appât du gain, la cruauté?

Une telle méchanceté habite-t-elle Robitaille? Il a ses défauts comme tout le monde, entre autres la vanité, mais de là à étrangler froidement une fille... Victor ne parvient pas à le croire capable d'une telle atrocité. Il passe toute la nuit à se questionner sur les motifs qui poussent quelqu'un à agir de façon aussi criminelle.

Quand le directeur de la morgue arrive vers six heures, il l'envoie au poste de police pour livrer les dossiers d'autopsie. Deux larges enveloppes brunes sous le bras, Victor pousse la porte du poste de la rue Saint-Paul. Après avoir remis les documents à l'agent à la réception et signé le registre officiel comme le prévoit le règlement, il sollicite une entrevue avec le responsable du dossier de l'affaire de la gare.

Quelques minutes plus tard, l'inspecteur Walter, appuyé au bureau du réceptionniste, s'enquiert des raisons de la démarche de Victor. D'une stature plus imposante que la moyenne, il toise de haut l'étudiant qu'il n'invite pas dans son bureau. Sa voix sèche, ses questions directes et son regard glacial n'incitent pas aux confidences.

Intimidé malgré lui, Victor tente de démontrer l'impossibilité pour Robitaille de se délester du cadavre de la fille, et de prouver ainsi son innocence. Walter écoute ses explications avant de conclure:

— Vous avez prétendu que c'était votre première nuit de travail? Ce n'est pas facile de tenir le coup toute une nuit pour la première fois. Alors, je crois que, lorsque vous attendiez le train assis sur un banc, vous vous êtes endormi.

— Non, c'est faux!

— Vous étiez tout de même un peu fatigué!

— Oui, mais je suis resté éveillé. D'ailleurs, je n'étais pas seul.

— Toutes les autres personnes qui attendaient sur le quai, les porteurs et ceux qui venaient chercher des voyageurs, n'y étaient que depuis quelques minutes lorsque le train est arrivé. J'ai vérifié personnellement auprès de chaque témoin. Pendant une bonne quinzaine de minutes, il n'y avait que vous. Et je suis prêt à parier que vous dormiez. En cour, il sera enfantin de démolir votre témoignage.

— Dois-je donc comprendre, monsieur l'inspecteur, que vous avez l'intention de procéder à une arrestation dans cette affaire? l'interrompt une voix où perce une pointe d'arrogance. Et que, pour le présumé coupable, vous avez jeté votre dévolu sur l'employé de la gare?

Victor pivote vers Louis Bélair qui se tient près de l'entrée. Une canne au pommeau en ivoire dans une main et les doigts de l'autre glissés négligemment dans la poche de son gilet sous son complet gris, il impressionne par son calme.

Walter reconnaît avec une certaine satisfaction:

— Les présomptions sont suffisantes pour porter des accusations, il ne me manque que le rapport du médecin légiste pour agir. Ce qui ne saurait tarder.

L'agent, qui était resté muet jusque-là, saisit l'occasion et une enveloppe pour la tendre à son chef. Celui-ci survole les nombreuses feuilles du dossier en hochant la tête. Il s'attarde aux conclusions du docteur Sirois et sourit de contentement. Son agent Grondin ne s'était pas trompé, il a eu du flair dans cette affaire. Usant de son autorité, l'inspecteur envoie sur-le-champ une délégation de ses hommes pour l'arrestation de Robitaille.

Victor essaie une nouvelle fois de déculpabiliser l'employé de la gare, mais ses arguments sont rejetés par un haussement d'épaules. L'avocat, toujours aussi imperturbable, prévient poliment l'inspecteur qu'il désire être informé dès que l'interrogatoire du prévenu débutera.

Se sentant complètement inutile et découragé par la tournure des événements, Victor s'éclipse du poste, mais il ne va pas loin. Il touche à peine le trottoir que l'avocat le rappelle.

— J'aimerais avoir une conversation avec vous, si vous n'y voyez pas d'inconvénient.

— Aucun, mais le moment est mal choisi. Je risque d'arriver en retard à l'université.

— Évidemment, je m'en voudrais d'imposer un délai qui vous occasionnerait des conséquences fâcheuses. Déjà qu'hier soir vous avez dû écoper. Ne soyez pas surpris que j'en sache autant. Napoléon m'a raconté ses déboires avec son père.

— Certains enseignants de l'université sont plus pointilleux que d'autres sur les règlements. Après mes cours, j'aurai tout mon temps.

— Parfait, rendez-vous à midi, au café *Le Clairon d'Or*. Nous mangerons ensemble et vous me raconterez tout ce que vous avez remarqué à la gare. Ça me sera extrêmement utile pour défendre mon client.

Du pommeau de sa canne, l'avocat touche son chapeau en guise de salutations et rentre dans le poste de police. Victor se dirige vers l'université, tout en songeant à la singularité de maître Louis Bélair.

Pourquoi un homme bien nanti comme lui se préoccupe-t-il d'un cas aussi peu intéressant que celui de Robitaille? Pourquoi un fils de député perd-il son temps à défendre des pauvres dans des causes nullement glorifiantes? Ne devrait-il pas plutôt s'occuper d'affaires plus avantageuses pour faire fortune? Et pour la notoriété qui en découlerait? Il est vrai que son engouement pour les démunis a déjà attiré sur lui l'intérêt de quelques journalistes. Victor se rappelle avoir lu un article où il était décrit comme un défenseur inconditionnel des miséreux.

Après tout, peut-être est-ce là le but qu'il vise? Faire parler de lui pour sa charité et son abnégation. Il y a autant de chances d'avancement dans la sainteté que n'importe où ailleurs. Les bons frères du Séminaire diraient certainement que les chemins de la renommée sont innombrables et que le mystère de la réussite est insondable.

Atteint par de fines gouttelettes de pluie, Victor accélère le pas. Il ne tient pas à passer son avant-midi sur les bancs d'école avec un complet mouillé sur le dos.

Lorsque Louis Bélair s'installe sur la banquette de sa voiture, la prostituée, qui y est déjà, s'enfonce dans le cuir bruissant. La tête penchée de côté, Lolita tâche de garder son sang-froid. Agit-il en ami ou en ennemi? Avec le sourire distrait dont il l'a gratifiée, elle ne sait trop. De sa canne, il frappe deux coups secs à ses pieds et la berline s'ébranle sous la conduite de son vieux chauffeur. L'avocat préfère ce moyen de transport hippique aux nouveautés à moteur, encore rares dans les rues de Québec. Il ne tient pas à passer pour un excentrique aux goûts tapageurs.

Face à lui, silencieuse, Lolita est consciente qu'elle doit se montrer reconnaissante envers celui qui est venu la sortir de prison. Il est probable que c'est lui qui a payé la caution, à la prière de madame O'Brien, évidemment. Qu'est-ce que cette vieille peau a bien pu lui promettre en échange? Les faveurs inconditionnelles de son écurie! Une quittance qui ne lui coûte pas trop cher.

Sur la capote, la pluie tombe doucement, froide, vaporeuse et tenace. Malgré qu'il soit onze heures du matin, le soleil brille par son absence. Lolita interprète cela comme un mauvais présage. Depuis le moment où elle l'a rejoint dans l'entrée du poste de police, Bélair a eu une attitude bienveillante. Mais maintenant qu'il est seul avec elle, son air aimable se déforme en un rictus désapprobateur.

— Comme on se retrouve, mademoiselle!

Même s'il parle d'une voix basse et égale, son ton est dur. Lolita se blottit plus profondément sur le siège dans l'attente des reproches dont il va l'accabler. Il n'est pas dupe de sa peur et un éclair narquois passe dans ses yeux. Il opte pour la carte de l'ignorance.

— Comment avez-vous apprécié votre nuit au Château Frontenac? Le lit était confortable, les draps douillets?

L'instruction de Lolita se résume à deux ans à la petite école; elle n'a jamais fréquenté les couvents renommés des bonnes sœurs, son expérience de la vie, elle l'a élaborée sur le tas, aux échelons les plus bas de la société, mais ce qu'elle en a appris des choses! Avec toutes les connaissances qu'elle possède sur les hommes, elle pourrait écrire une encyclopédie. Ce n'est pas elle qu'il pourra leurrer avec son ton doucereux. Elle n'a peut-être pas les mots pour traduire sa pensée, pourtant elle se méfie de la sournoiserie de ce beau monsieur. Il y a longtemps qu'elle a compris que la meilleure défense, c'est la vérité. Les hommes s'attendent tellement à une nuée de mensonges qu'ils sont souvent désamorcés par un simple aveu.

— Le lit pis les draps, ils étaient plus que corrects. Mais vous savez comme moi que ç'a marché de travers. Oh! Au début, le monsieur avait l'air satisfait. C'est après que ça s'est gâté. Il avait des goûts assez particuliers. Des affaires qu'on n'a pas l'habitude. Pour moi, ça pouvait aller, mais mon amie... Elle a flanché. Je sais, c'est ma faute. J'aurais dû choisir une fille qui a plus d'expérience. Je suis pas mal sotte! J'aurais dû réfléchir davantage avant de l'emmener avec moi.

Au fond, c'est vrai qu'elle regrette, Monsieur Louis est un très bon client. Pas tellement pour lui-même, mais pour tous les hommes riches à qui il recommande les filles de la pension *Sous-le-Cap*. La patronne du bordel ne le sait que trop et se vante parfois d'être sa plus importante débitrice. Que ne dirait-elle pas pour flatter l'ego de ses clients!

Louis est irrité par la sincérité de la fille. Il se délectait à l'avance des paroles accusatrices qu'il se préparait à lui lancer. Et la sotte va au-devant des coups. Elle se place elle-même la tête sous le couperet. Envolé maintenant le plaisir de la confronter avec ses coupables agissements! D'autant plus qu'elle n'est pas si fautive que ça. Son père, il est vrai, a toujours eu des exigences inhabituelles; rares sont les prostituées qui ont grâce à ses yeux. Louis suppose parfois que c'est le refus que le vieil homme considère jouissant! L'excitation d'avoir à forcer les filles lui apporte plus de volupté. Chacun retire son plaisir à sa façon. Si Valmore apprécie le pouvoir de l'agression physique, son fils penche davantage vers les débats verbaux. Pour son plus grand désappointement, il n'y aura rien de tel ce matin avec Lolita.

— Quel sublime acte de contrition que voilà! raille-t-il. Par ma faute, par ma très grande faute, je confesse mes erreurs. Mais ce n'est pas suffisant de s'accuser soi-même, j'attends autre chose de toi et de ta camarade. Tu sais que ça coûte cher, une caution?

Lolita hoche vivement la tête et attend la suite. Elle n'est pas assez naïve pour s'imaginer qu'il n'exigera rien en retour. Il se baisse jusqu'à ce que son visage effleure celui de la fille.

— Tu as une jolie bouche et une langue tout aussi mignonne. Il serait dommage que tu t'en serves comme une écervelée. Je ne veux pas un mot sur ta désastreuse performance de samedi soir. Ça vaut pour toi et pour Angélique. Tu vois, j'ai une excellente mémoire des noms. Je n'aurai garde de vous oublier. Et si vous agissez avec étourderie et un manque total de discrétion, moi, je ne vous manquerai pas. Il existe plusieurs moyens d'envoyer deux charmantes filles croupir derrière les barreaux. Si ça vous intéresse...

— Oh! non, monsieur. Z'avez pas à vous inquiéter. Angélique et moi, on a enterré cette histoire-là, ben creux à part ça. Vous pouvez me croire.

— Je l'espère, grogne-t-il en se redressant lentement. Dans votre propre intérêt, je l'espère.

Il frappe de nouveau le plancher de la voiture avec sa canne. Le chauffeur, habitué à ces commandes non verbales, tire sur les rênes pour immobiliser ses bêtes. Louis ordonne à la fille de descendre; elle effectuera le reste du trajet à pied.

Frissonnante dans sa robe audacieuse qui s'imbibe de bruine, Lolita affecte une démarche altière sous les regards malveillants des passants. Ne pouvant leur cacher sa condition de fille de joie, elle se promène avec arrogance. Les jugements des mâles hypocrites et des bigotes de fond de sacristie glissent sur ses épaules indifférentes. Du bas de la côte de la Montagne où l'avocat l'a abandonnée jusqu'à la pension, il n'y a que quelques rues, mais l'humidité est si intense et son vêtement si léger qu'elle est toute crispée de froid lorsqu'elle y parvient.

L'accueil de madame O'Brien ne déborde pas de joie. Elle l'accable plutôt de reproches plus que justifiés. Lolita ne s'attendait pas à mieux. Elle laisse le flot de paroles aigres se répandre dans la cuisine. Par expérience, elle sait que sa patronne finit toujours par se calmer d'elle-même après quelques minutes d'un épanchement sans réserve. Quand elle a vidé son sac, elle n'a d'autre choix que de recouvrer son souffle et ses instincts avaricieux.

— File te reposer pour être présentable! Ce soir, il y aura de l'action. Un bateau des États est arrivé à matin de bonne heure. Tu sais ce que ça signifie. J'aurai besoin de tout mon monde, surtout que la p'tite dernière est sur le carreau. Une belle trouvaille que tu m'as amenée là! Si toutes mes filles étaient aussi geignardes qu'elle, je ferais pas vieux os dans le métier!

Pendant le soliloque de son entremetteuse, Lolita laisse fureter ses yeux avec ennui dans la pièce à la propreté douteuse. Adossée au mur près du poêle, elle profite de la chaleur qui s'en dégage. Près d'elle, Sabrina fait office de cuisinière et brasse en silence la soupe qui leur servira de repas. Sans qu'il n'y paraisse, tout en échangeant un clin d'œil complice, elle glisse à la main de sa consœur une pomme de belle grosseur. Il y en aura une de moins dans la tarte préférée de la patronne.

— J'suis désolée, m'ame 'Brien. Je pensais que c'était un bon coup. Hey! si vous aviez vu ça. Des gars aux poches pleines de piastres. Sur les tables, entre les dés et les cartes, il y avait des piles hautes de même. Pas de farce! Si les bouledogues s'étaient pas mêlés de ça, vous auriez retiré le motton avec ces clients-là. Je vous le dis!

— Ouais! L'enfer est pavé de bonnes intentions! Mais c'est pas ça qui paie le beurre. Enfin, se calme-t-elle, on va s'en remettre. Heureusement que le p'tit avocat a ben voulu nous aider. Ça va être pas mal de bénévolat pour toi, j'en ai peur. Bof! Tu mettras les bouchées doubles, c'est tout. Envoye! va te reposer.

Lolita n'apprécie pas l'idée de travailler pour rien, mais a-t-elle le choix? Elle a une dette envers maître Bélair qui lui paraît de moins en moins sympathique. Comme elle grimpe l'escalier, Sabrina la rattrape.

— Minute, chanceuse! R'garde ce qui est arrivé pour toi. Une lettre de Montréal. Tu nous avais pas confié ça que t'avais un fiancé par là-bas. Cachottière!

Lolita lui arrache l'enveloppe des mains sans relever l'insinuation. Elle, avoir un fiancé! Quelle idée ridicule! Tournant le dos à Sabrina, elle croque à belles dents dans le fruit défendu et monte à sa chambre. Étant logée au premier, elle a droit à un peu plus de luxe que la pauvre Angélique; entre autres, un vrai lit à ressorts et un peu plus de chaleur puisqu'elle est au-dessus de la cuisine.

Elle enlève en vitesse ses vêtements mouillés et les étend sur la bouche d'aération du plancher par où pénètre la chaleur du poêle. Puis, toute nue, elle se blottit sous ses couvertures pour entreprendre une lecture ardue de sa correspondance. Tandis qu'elle suçote le cœur de pomme, son visage s'illumine de joie.

Maître Louis Bélair gribouille un calepin posé entre son verre et son assiette. Les pages sont couvertes de schémas, de flèches et de notes compréhensibles qu'à lui seul. Tout en discourant avec Victor, il ordonne les divers renseignements que l'étudiant lui fournit.

— Si je reprends votre emploi du temps de ce matin-là, vous êtes arrivé à la gare avec monsieur Siméon vers cinq heures, cinq heures dix. À ce moment-là, si le cadavre se trouve déjà sur les rails, vous ne pouvez pas le savoir, il fait encore nuit. Quelques minutes après, vous vous retrouvez seul avec Monsieur Robitaille qui vous abandonne aussitôt.

— Oui, il a traversé le terrain. Il marchait assez près des rails. Si la fille y avait été, il l'aurait aperçue.

— En admettant qu'il soit innocent et qu'il ne se soit pas débarrassé d'elle avant. Ensuite, avant de décharger votre marchandise, vous avez attendu au moins une vingtaine de minutes le retour de Robitaille. Durant ce temps, il était libre d'agir à sa guise, d'aller cacher l'arme du crime, par exemple.

Victor pousse un soupir de découragement. Si même l'avocat croit son client coupable, Robitaille n'a aucun espoir d'être acquitté. Son désenchantement n'échappe pas à l'attention de Bélair. Il rit de son air démoralisé.

— Vos pensées sont limpides. Vous présumez que je n'ai aucune confiance en les affirmations d'innocence de monsieur Robitaille. Au contraire! Je ne serais pas là, si je ne le croyais pas. Non, il me semble évident qu'il y a injustice flagrante. Néanmoins, pour que ma défense soit sans faille, je me dois de réfléchir comme les enquêteurs et comme l'avocat qui portera l'accusation. Le raisonnement que j'entreprends en ce moment, ils le feront eux aussi. Alors, il faut que je découvre le coup pour parer cette attaque. C'est en fouillant dans le cerveau de l'ennemi qu'on organise la meilleure défense.

Se ralliant à cette façon de voir les choses, Victor creuse ses souvenirs pour se rappeler les détails de sa visite à la gare. Oui, quand Robitaille s'est éloigné, il l'a suivi des yeux, mais pas tout le temps, pas jusqu'à ce qu'il disparaisse du côté des hangars. C'est sûrement là qu'il a dû entrer, mais dans lequel? Aucune idée. Un peu plus tard, quand le soleil se levait, les rails semblaient nus. Un corps de fille, dans une robe aussi voyante, ne passe pas inaperçu.

— Alors, l'accusation essaiera de convaincre les jurés que vous dormiez, reprend Bélair. Même s'il y avait d'autres personnes présentes au moment de l'arrivée du train, elles affirment toutes avoir attendu le sifflement pour sortir sur le quai; il faisait froid ce matin-là. À cet instant, la fille était déjà écrasée et le train leur cachait la vue. Personne ne viendra confirmer votre histoire, ils ne témoigneront pas dans votre sens.

Victor le sait, il est resté seul pendant un long moment. Il n'y a que Robitaille qui l'a rejoint avant, tout juste avant l'entrée du train en gare. Raison de plus pour qu'il porte le blâme.

— Pendant que vous étiez seul, que faisiez-vous?

— Rien de particulier. Je me suis assis sur un banc. Je rêvassais. J'attendais que le temps passe.

— Mauvaise réponse, le jury conclura que, si vous ne dormiez pas, vous étiez distrait. Donc, il a pu se produire des tas d'événements que vous n'avez pas remarqués. L'accusé aurait pu transporter un chameau sur son dos sans que vous l'aperceviez.

— Non, impossible, soutient Victor en repoussant son assiette d'un geste irrité.

S'accoudant sur la table et se penchant avec détermination vers Louis Bélair, il déclare:

— Je me souviens très distinctement de l'avoir vu au bout du terrain, près des hangars. Et il ne portait rien. Je ne l'ai pas fixé tout le temps qu'il s'approchait mais, quelques instants après, il était à mi-chemin et avait encore les bras vides. Et c'est peu après qu'il est monté sur le quai. Il n'a pas eu la possibilité de déposer un cadavre durant ce trajet-là. Et... et il n'y avait toujours rien sur les rails. Rien de visible, d'où j'étais. Rien que Robitaille n'ait remarqué comme anormal.

— Peut-être parce que le cadavre de la fille lui semblait normal! La question est de savoir si, du banc du quai, votre vision des rails était suffisante pour apercevoir la fille. N'oubliez pas que la majeure partie de son corps était allongée sur le côté des rails opposé au quai. Il y a une légère pente qui peut avoir obstrué votre vision. On persuadera les membres du jury que vous étiez mal placé pour témoigner convenablement de l'absence de corps. Car, pensez-y, il fallait absolument que son cadavre soit là avant le train.

Cet argument tombe sous le sens. Mais lui, Victor, n'a rien vu! Une seule explication s'impose à lui, c'est qu'effectivement il était mal placé pour avoir une vision complète des rails. Si la preuve d'innocence de Robitaille repose sur son seul témoignage, il est fichu.

— À part mes déclarations, qu'y a-t-il d'autre pour sa défense?

— Malheureusement rien! Il n'a aucun témoin pour le travail qu'il effectuait, un inventaire de routine du matériel contenu dans les hangars. Pire encore, son supérieur immédiat, Timothé Jolicœur, prétend qu'il n'avait pas à s'en préoccuper. Enfin, pas ce jour-là. Premièrement, parce qu'il lui avait donné l'ordre de vous aider, et aussi parce que l'inventaire ne s'effectue qu'à la fin du mois. Alors...

— Alors, il est dans le pétrin! Vous ne bénéficiez d'aucun élément positif pour sa défense. Comment pensez-vous convaincre le jury de son innocence?

En homme sûr de lui et de ses capacités, Bélair rétorque:

— Mais tout simplement en semant le doute et la confusion dans l'esprit des jurés. On ne peut condamner un homme que sur des preuves probantes. S'il existe le moindre soupçon d'innocence, ils doivent l'acquitter. Je vais continuer mes investigations. Peut-être tomberais-je sur quelqu'un qui a aperçu un détail insignifiant à ses yeux, mais d'une valeur incontestable dans notre affaire.

Chacun perdu dans ses pensées, ils restent longtemps silencieux. Victor sirote son thé en récapitulant dans sa tête les événements de sa première nuit de travail. Louis vérifie son emploi du temps pour l'après-midi d'un bref regard sur son calepin.

— Je suis désolé, mais j'ai un horaire assez chargé. J'apprécie à sa juste valeur le temps que vous m'avez consacré. Généralement, les témoins sont plus réticents dans leurs révélations. Probablement à cause du côté solennel du système judiciaire qui les impressionne. Si jamais vous avez d'autres renseignements, n'hésitez pas à venir me rencontrer.

Il lui tend un bristol où, en lettres dorées, l'adresse de son cabinet est gravée. Demeuré seul, Victor glisse le carton dans sa poche. Il est obsédé par une question. Que fabriquait donc Robitaille dans les hangars? S'il consentait à l'expliquer, l'accusation tomberait... peut-être!

Valmore fulmine. Il arpente son salon éclairé faiblement par une lampe sur pied dans un coin. Ah! si seulement le ciel pouvait s'ouvrir pour foudroyer d'une juste colère tous les ennemis du gouvernement et de ses dignes représentants, principalement lui-même. Et ce bon peuple, simple et, avouons-le, ignare, comment le protéger des révélations, non, des diffamations que les calomniateurs répandent sur les élus? Jalousie!

Louis, habitué aux nombreux excès délirants de son père, n'est nullement déconcerté. Depuis longtemps, il n'est pas loin de croire que l'honorable député Bélair se voit comme le bras droit de Dieu et qu'il doit veiller avec un dévouement exemplaire sur les brebis du Seigneur. Pourquoi avoir choisi la politique quand la pourpre cardinalice lui siérait à merveille? Sûrement parce que les putains sont plus difficiles d'approche en soutane.

— Qu'est-ce qui t'amuse? s'écrie Valmore en apercevant le sourire moqueur de son fils. Je te parle d'un problème crucial et, toi, tu ris! La commission d'enquête s'apprête à me traîner dans la boue...

— Mais non, les commissaires n'ont rien contre vous. Seulement, ils doivent mener à terme leur enquête. Il y a eu mort d'homme, alors...

Valmore l'interrompt brusquement, le corps frémissant de colère. Planté devant Louis, il donne libre cours à sa hargne en dévoilant les frustrations qu'il éprouve à cause de cette enquête.

— Précisément, c'est une commission *royale* nommée par le premier ministre du Canada, Sir Wilfrid Laurier en personne. Tu sais ce que ça signifie?

— Que les conclusions du rapport seront rendues publiques. Il n'y a rien d'extraordinaire là-dedans.

— Rien d'extraordinaire! Mais c'est capital, au contraire. N'oublie pas que je suis un des directeurs de la Compagnie du pont de Québec. Et j'ai été délégué à ce poste pour veiller aux intérêts de mon gouvernement. Le fédéral a investi un million dans ce projet. Ce n'est pas une vulgaire poignée de noix, ça!

Louis s'abstient de souligner que c'était plutôt pour surveiller ses propres intérêts qu'il a joué des pieds et des mains auprès de toutes ses puissantes relations pour obtenir ce mandat. Quand le député a su le montant que son gouvernement était disposé à placer dans l'entreprise du siècle, l'appât du gain qui sommeillait en lui s'est éveillé. Pour être franc, ce vice ne dormait pas très fort. Il a alors acquis un bon nombre d'actions émises par la compagnie, car il croyait fermement que cela rapporterait en abondance. Maintenant ses espoirs se sont écroulés avec la structure du pont.

— Je sais que, si on pense à l'aspect pécuniaire, il y a là une perte énorme...

— Gigantesque!

— ...mais, vous pourrez la surmonter. Surtout que les travaux vont reprendre un jour et vous récupérerez ainsi la majorité de votre investissement.

Le député dépose son imposant séant sur un des fauteuils style Louis XV qui meublent son salon. Avant que sa femme ne fût prise d'un engouement soudain pour l'ameublement du Salon Bleu du Château Frontenac et ne décide de l'imiter, Valmore ignorait tout, et surtout le prix, de ce mobilier du dernier chic. Assis du bout des fesses sur cette chaise dont il a peur de briser les pattes trop délicates à son goût, il s'éponge le front.

— Si ce n'était que ça, quoique c'est déjà trop. Non, il y a pire. Il leur faut des coupables. Si le pont s'est effondré, c'est que quelqu'un a commis une erreur.

— Alors, il faut en blâmer les employés qui n'ont pas suivi les plans ou encore les matériaux qui n'étaient pas de la meilleure qualité. Toutes ces raisons vous laissent les mains blanches.

— C'est toi qui le dis. Le problème ne vient pas des ouvriers ni des ingénieurs qui étaient sur place. Ils ont appliqué à la lettre les instructions. Ils n'en ont pas dérogé. Et les matériaux étaient conformes aux exigences des ingénieurs-conseils. Seulement... plus l'enquête progresse, plus les gens se posent des questions. Et quand la populace se mêle de broder des réponses, les pires rumeurs courent.

Louis devine que son père en sait beaucoup plus qu'il ne veut l'avouer. Le vieux député ne tremble pas pour rien. Il s'est fourré dans un guêpier et il espère que son fils l'en sortira sans qu'il ait à tout lui révéler.

— Pierre qui roule n'amasse pas mousse, opine l'avocat qui n'a pas vraiment envie de tendre une main secourable. Laissez-les galoper ces mauvaises langues, je suis convaincu que rien ne peut vous atteindre. Gardez votre calme et vous ne serez pas dérangé par ces commérages de bas étage. Votre statut de représentant intègre vous rend intouchable.

— Intouchable! Non, personne ne l'est. Et si je suis aussi haut que tu le prétends, c'est tout un plongeon que je vais prendre si on me pousse un peu trop. Il faut toujours des coupables de service et je crains fort que le rôle soit pour moi.

— Arrêtez d'être aussi pessimiste!

Se relevant soudainement, Valmore l'apostrophe sans aménité:

— Dans deux jours, les directeurs de la compagnie se réuniront pour une assemblée importante. Ça paraît que tu n'as jamais assisté à aucune de ces rencontres. Ils sont là à s'encenser les uns les autres avec des paroles flatteuses, à aduler leur chef adoré. On entend que des «cher honorable Monsieur le Président» par-ci et des «pour notre bien-aimée patrie» par-là. Tous s'escriment, avec mille courbettes de Tartuffe, à rejeter la faute sur son prochain. Pire, ils nient la responsabilité de la compagnie.

— Et elle l'est, responsable?

Valmore ouvre la bouche et la referme avant de proférer une bêtise. Jugeant que la conversation prend une tournure qu'il n'apprécie pas, il tente de rétablir la vérité, ou, à tout le moins, celle qui l'arrange.

— Les gens respectables et privilégiés par des postes importants ont toujours une responsabilité. Celle de former le jugement de leurs concitoyens moins favorisés par la vie.

— Former le jugement! répète Louis qui ne s'attendait pas à cette répartie.

— Tu es encore jeune, mais un jour tu te rallieras à mon opinion: on ne peut pas laisser les gens du peuple penser par eux-mêmes. Sinon ce serait l'anarchie! C'est mon devoir de leur imposer une vision des choses qui convient mieux à la réalité.

N'ayant plus rien à ajouter, le député s'attable à la rédaction du discours qu'il prononcera lors de l'assemblée des directeurs de la Quebec Bridge Co. Il ne se laissera pas acculer au pied du mur par ces minables et ridicules profiteurs du système. Grâce à sa longue expérience dans le domaine, il réussira certainement à tirer les fils à son avantage. Cet échange avec Louis lui a remonté le moral. Il avait besoin de vider le surplus d'exaspération qui l'habitait pour voir clair. Il passera peut-être toute la nuit à travailler sur son texte, mais ça en vaut la peine.

7

Malgré l'heure matinale, les trois filles sont déjà en route. Convaincre Sabrina et Rose-Aimée de ne pas faire la grasse matinée n'a pas été chose facile pour Lolita qui a été forcée de les tirer de leur lit avec des promesses de services futurs. Maintenant qu'elles sont éveillées, leur promenade tourne en partie de plaisir. Le ciel chargé de lourds nuages sombres qui roulent sous la force du vent ne les effraie pas.

Elles ont gonflé leur robe épaisse de plusieurs couches de jupons et gardent leurs pieds au chaud dans de longs bas de laine. Emmitouflées dans des mantes qui ont agrémenté les beaux jours des grandes dames, elles bravent les rigueurs de ce froid matin d'automne. Elles portent fièrement ces vêtements d'occasion achetés à des fripiers ambulants. Les ayant choisis judicieusement, elles ont dû donner un bon prix pour afficher tout le chic défraîchi des dames de la haute-ville qui les ont arborés avant elles.

Le jour tarde à paraître, pourtant elles croisent plusieurs hommes qui se dirigent déjà vers leur travail. Cela n'inquiète pas les trois frivoles. Elles savent depuis belle lurette comment les remettre à leur place ou tourner la situation à leur avantage. Si l'un d'eux s'avisait de tendre la main pour palper leurs formes aguichantes, elles leur rendraient la pareille pour exiger trois sous au moins!

Elles ne montent pas à la haute-ville, mais longent le bassin Louise jusqu'à la gare du Palais. En y entrant, leurs voix riantes résonnent sous la haute voûte vitrée attirant l'attention de la plupart des hommes qui flânent dans l'entrée. Certains les dévisagent avec appétit. Quelques-uns détournent les yeux rapidement, embarrassés. D'autres, les employés de la compagnie ferroviaire, désapprouvent leur présence en ces lieux.

Ces jeunes têtes féminines non décemment recouvertes d'une coiffe, ces robes trop courtes qui laissent apparaître la dentelle des jupons et même une cheville coquine, ces capes rabattues par derrière d'un geste provoquant, tout cela et, surtout, les regards dégourdis qu'elles envoient aux membres du sexe opposé sont plus efficaces qu'une carte professionnelle pour annoncer leur commerce.

Pourtant, Lolita et Rose-Aimée sont impressionnées par l'ambiance de la gare. C'est la première fois qu'elles y entrent. Le plafond aux vitraux colorés qui surplombe de hauts murs de brique couleur sable leur rappelle une église. Le large hall d'entrée de forme rectangulaire aux coins arrondis est somptueusement éclairé par des lustres, des plafonniers et des appliques en cuivre. Les dalles en granit gris du long plancher nu brillent grâce à un nettoyage intensif.

Seule Sabrina ne s'en laisse pas imposer par ce luxe austère et, la tête haute, se dirige vers le guichet. L'employé derrière ses barreaux observe l'ondulation de sa démarche et pince les lèvres pour montrer sa désapprobation. Elle s'informe à voix assez forte pour être entendue de tous de l'heure exacte de l'arrivée du train de Montréal. L'homme chuchote sa réponse s'imaginant ainsi faire baisser le ton de la fille. Au contraire, elle répète sa demande pour le forcer à parler d'une manière plus audible.

Quand elle revient, satisfaite, à côté de ses deux compagnes qui l'ont attendue près de l'entrée, Lolita réprouve sa conduite:

— Pourquoi que t'es allée le voir? On le sait l'heure que le train arrive. C'était écrit dans la lettre!

— Oui, mais eux, réplique Sabrina en pointant du menton les autres personnes dans la gare, ils se demandent pourquoi on est là! Comme ça, personne va nous mettre à la porte! On a le droit d'être ici autant qu'eux autres. Sans ça...

— Ouais! approuve Rose-Aimée. Le bonhomme dans le coin là-bas, en uniforme, nous regardait un peu trop. Avec sa rangée de boutons dorés, il voulait sûrement nous empêcher de rester ici! À c't'heure, il va nous laisser tranquilles.

— Correct, correct! Venez sur le quai, propose Lolita qui aimerait mieux qu'on ne les remarque pas autant.

— Non, madame! proteste Sabrina. C'est trop froid dehors. Si les messieurs de la haute peuvent garder leurs fesses molles et poilues au chaud, nous aussi! Les miennes valent mieux que les leurs...

Rose-Aimée rigole à cette allusion. Il est vrai que sa copine n'a jamais eu peur de montrer les siennes au premier venu. Et elles sont si douces et dodues qu'il serait dommage d'y risquer des engelures. Même si Lolita est embêtée par l'entêtement de Sabrina, Rose-Aimée se range du côté de cette dernière.

— C'est beau ici. Je reste en dedans. C'est rare qu'on peut entrer dans un palais. Regarde l'horloge en haut! Hey! Il y a une sculpture de lion et de cheval de chaque bord. Penses-tu que c'est en or? Et la clôture du balcon au deuxième, c'est comme un vrai château!

— C'est une balustrade, pas une clôture, la corrige Sabrina qui a à peine un peu plus d'instruction qu'elle.

Rose-Aimée hausse les épaules. Il faut toujours que Sabrina ait le dernier mot. Fatigante! Le nez en l'air, Rose-Aimée s'éloigne de sa compagne et s'attache aux détails décoratifs qui ornent les murs, le plafond et les portes de cet endroit de rêve. Pour elle, les demeures des princesses qui peuplent les contes de fées ne valent pas mieux.

Lolita, pour se donner bonne contenance, imite Rose-Aimée, à la différence qu'elle examine par en dessous les occupants de la gare. Quand il est question d'attirer un client, elle fonce toujours pour être la première choisie mais, maintenant, elle préfère se montrer discrète comme une souris. Sa place n'est pas ici, elle le devine. Sabrina peut prétendre que c'est un endroit public, ça ressemble plutôt à un club privé pour mâles fortunés seulement. D'ailleurs, le bouledogue en uniforme ne les lâche pas des yeux comme si elles allaient s'enfuir avec les décorations des murs.

Sabrina aussi l'a vu, mais elle s'en moque. Ce pantin ridicule ne peut rien contre elle. Aujourd'hui, elle effectue une visite officielle. Il peut s'étouffer avec ses airs prudes et ses règlements mesquins. Tout doux, le molosse! Garde tes crocs pour une autre fois. Au fond, elle s'amuse. Il est si rare qu'elle puisse pénétrer dans ce sanctuaire sans qu'il y ait matière à profanation. Furetant sans en avoir l'air, elle dénombre rapidement les mâles qui piétinent en attendant le train. Elle affecte une moue déçue. Probablement qu'aucun de ces messieurs ne lui paraît à la hauteur de ses faveurs.

Un cahier rigide à la main, Timothé Jolicœur feint d'écrire pour cacher sa surveillance. Pourquoi ces filles traînent-elles dans la gare? Qui peuvent-elles attendre? Sûrement pas un des hommes d'affaires qui voyagent en première! Et comme le train de nuit ne transporte pas de voyageurs de classe économique, il conclut qu'elles n'ont pas leur place ici. Il tarde pourtant à les chasser comme elles le méritent. Il y a trop de témoins mais, tout à l'heure, il s'occupera d'elles! Ses réflexions vindicatives sont interrompues par l'arrivée de l'employé de la morgue.

— Monsieur Jolicœur! salue Victor en soulevant sa casquette de tweed. J'ai encore une livraison spéciale pour les Indiens. Une seule caisse, cette fois!

— Ben, débarquez-la sur le quai! lui lance le chef de gare avec impatience.

Victor s'étonne de cet accueil rébarbatif. Il remarque l'intense nervosité de son interlocuteur ainsi que les yeux furibonds qu'il reporte constamment sur trois demoiselles. Victor reconnaît sans peine ses voisines. Rose-Aimée, qui s'est aussi rendu compte de sa présence, lui sourit timidement, incertaine de poser un bon geste. Elle est soulagée de constater qu'il ne l'ignore pas et lui répond d'un hochement de tête qu'il adresse aussi à ses deux compagnes.

— Vous les connaissez? s'indigne Jolicœur, consterné. Dans ce cas, vous pourriez être plus discret!

— Pourquoi? Il n'y a rien de mal à leur dire bonjour.

— Êtes-vous inconscient ou ignorant? Des filles comme ça, vaut mieux s'en tenir loin!

— Bon! Pour revenir au cercueil, je ne peux pas le descendre seul. Le vieux Siméon ne travaille pas cette semaine.

— Encore une crise d'arthrite?

— Je crois. C'est monsieur Siméon junior qui m'a aidé à mettre le cercueil dans la voiture, au début de la nuit, avant d'aller se reposer. Ce qui signifie que j'ai besoin d'aide.

— Ouais! Et de l'aide, il n'y en a pas trop dans le coin. Avec Robitaille derrière les barreaux...

Tandis que les trois jeunes filles discutent à voix basse avec animation tout en fixant Victor à l'autre bout de la gare, celui-ci sort sur le quai avec Jolicœur. L'aurore éclaire à peine le terrain. Il est vrai que les nuages noirs, de plus en plus nombreux, annoncent une pluie diluvienne.

Sans discussion supplémentaire, le gros homme met toutes ses énergies à poser sur le sol la caisse qu'il ne croyait pas si pesante. Victor regrette l'absence des muscles de Robitaille. Quand leur charge est arrivée à destination sans encombre, rangée contre le mur de la gare, Jolicœur souffle comme s'il manquait d'air. Jamais il ne pourra soulever à nouveau la caisse pour l'installer dans le train.

Il retourne subitement à l'intérieur pour se remonter le moral et reconstituer ses forces grâce à un petit verre de caribou caché au fond d'une armoire. Victor profite de ce moment de répit. Inconsciemment, il refait les mêmes gestes que lors de sa première visite à la gare. Il s'assoit sur le banc, les jambes allongées et croisées devant lui, le visage tourné vers les rails.

Il fouille des yeux l'endroit où la morte a été découverte. Malgré la faiblesse de la lumière de ce jour naissant, il distingue nettement les formes autour de la voie ferrée. Contrairement à ce que prétendait Louis Bélair, sur le terrain de la gare, les rails ne sont pas surélevés et aucune pente n'est ainsi formée de chaque côté. Cette constatation renforce sa première idée. Normalement, il aurait dû apercevoir le cadavre. D'autant plus que la semaine dernière, à la même heure, le ciel sans nuage était plus clair. La large robe rouge et verte ne pouvait qu'attirer son attention. Alors, pourquoi n'a-t-il rien vu? Le chef de police aurait-il raison? Il se serait assoupi sur place. Non, Victor nage dans l'inexplicable, mais il rejette fermement cette possibilité. Il était tout à fait éveillé quand il regardait Robitaille avancer vers la gare, et il n'y avait rien.

Un sifflement annonce l'arrivée du train. Le quai s'emplit à la hâte des gens venus chercher les voyageurs. Les porteurs poussent des chariots vides, prêts à empiler les bagages. Rose-Aimée, Sabrina et Lolita se pressent l'une contre l'autre, attentives au spectacle de l'imposante machine qui crache sa vapeur et qui freine avec des bruits d'enfer. Quand le train s'immobilise enfin, le chef de gare ouvre les portes des wagons en vociférant:

— Québec! Gare du Palais! Terminus! Tout le monde descend!

Lentement, un à un, les passagers descendent les trois marches étroites qui les séparent du sol. Pendant que quelques-uns se dispersent sans un regard pour personne, assurés que nul ne s'est déplacé pour leur arrivée, d'autres examinent les gens qui attendent sur le quai avant de découvrir en souriant un visage ami.

Peu à peu, le quai se vide. Victor, assis sur son banc, ne montre aucune hâte pour terminer son travail. Seul, comment le pourrait-il? Il observe discrètement ses voisines qui scrutent en vain les derniers voyageurs. La joie évidente qui les animait l'instant auparavant s'est transformée en une inquiétude non feinte. Hésitantes, elles s'approchent des wagons, y glissent un coup d'œil déçu, jettent un regard à la gare vide, reviennent vers le train.

Sabrina s'approche d'un employé qui saute en bas du train:

— Il y a encore du monde à l'intérieur?

— Non, j'ai fait le tour et il n'y a plus un chat.

Lolita riposte vivement:

— Impossible! Faut qu'elle soit là! Elle l'a marqué dans la lettre.

L'employé ricane:

— Si c'est une fille que vous attendez, ça va être long, mes beautés. Parce que des filles, il n'y en avait pas dans le train. Je le sais, c'est moi qui vérifie tous les tickets. Vous perdez votre temps, c'était un train de *messieurs* cette nuit!

Jolicœur sort en trombe de la gare au même moment. À la vue des filles, il s'enflamme:

— Encore là! Pouvez-vous me dire ce que vous fabriquez par ici? Allez donc user les trottoirs de la basse-ville. On n'a pas besoin de racoleuses par ici!

Sabrina qui n'a jamais la langue dans sa poche le houspille avec hargne:

— Ça m'surprend pas! T'as l'air assez proche de tes cennes que, même nous autres, on arriverait pas à t'en décoller. Pis à part ça, tu pourrais nous offrir tout l'or du monde, on n'est pas intéressées par un chihuahua comme toi. Arrête de japper! Arrête d'avoir peur, on va pas te dépuceler!

L'air aussi digne qu'une reine, elle quitte le quai en se déhanchant, suivie de Lolita et de Rose-Aimée. Cette dernière, qui se représente d'une façon plutôt terre à terre le dépucelage, tourne la tête au dernier moment et jette cette insulte suprême:

— Ouais! Tes puces, tu peux les garder pour toi. Elles sont pas d'assez bonne qualité pour nous!

Le visage de Timothé s'empourpre, Victor retient un fou rire et l'autre employé s'esclaffe franchement.

— C'est de même que tu te laisses parler, Timothé! J'aurais honte à ta place. Qu'est-ce que tu attends pour leur montrer que tu es un homme, un vrai?

Jolicœur préfère ignorer ces sarcasmes. De toute façon, ces filles de mauvaise réputation déguerpissent, assainissant ainsi la gare, et c'est ce qu'il désirait. S'agitant comme une mouche du coche qui veut entraîner tout le monde dans son activité, il commande sans en avoir vraiment le droit:

— Fortin, au lieu de débiter des niaiseries, prends ton bout qu'on place cette caisse-là dans le dernier wagon.

— Hey! Hey! J'ai assez travaillé pour cette nuit! Tu es supposé avoir des hommes pour ça, pas moi, proteste vivement Fortin en perdant sa bonne humeur.

Le chef de gare, de plus en plus énervé, brasse l'air de ses bras en pestant:

— Tu le sais que j'ai personne pour m'aider. Le grand fendant à Robitaille est en prison.

— Arrange-toi avec les porteurs! Pour quelques sous, porter une caisse ou des bagages, ça ne leur fera pas de différence.

— Les porteurs! Comme tu dis, ils voudront se faire payer pour ça, et je n'ai pas le droit de piger dans l'argent de la compagnie. Et avant qu'ils engagent un autre homme, ça risque d'être long.

— Je le sais que la compagnie est branleuse pour remplacer ceux qui partent. Depuis une semaine que j'ai double charge. En d'autres mots, je vais me reposer.

Jolicœur continue de harceler son compagnon de travail qui s'entête à refuser. Victor, n'y tenant plus, se mêle à leur discussion.

— Puisque personne ne m'aide à mettre le cercueil dans le train, je pars en vous le laissant sur le quai. Peut-être que lorsque l'odeur sera rendue insupportable, vous vous déciderez enfin à l'envoyer à Montréal.

Leur tournant carrément le dos, il marche d'un pas tranquille vers sa voiture. Le chef de gare panique et, du jeune homme à Fortin, court en essayant de les convaincre d'être plus raisonnables. S'il faut que le cercueil reste là, il sera blâmé par la compagnie. À cette idée, il se tourne d'un bloc et pointe Fortin d'un doigt accusateur.

— Écoute-moi bien! Je vais me plaindre au patron que tu as refusé de t'occuper d'un passager! Il est peut-être mort, ce gars-là, mais on a payé le plein prix d'un billet pour lui, pareil! Ton travail, c'est de voir que tous les passagers soient installés comme il faut! Je te garantis que j'écris un rapport tout de suite à ton sujet si tu ne m'aides pas.

Fortin le fixe sans parler pour un court instant. Une moue dédaigneuse apparaît sur ses lèvres. D'un geste lent, il laisse choir sa casquette sur un banc et s'approche de la caisse. En passant près du chef de gare, il lui grogne à l'oreille:

— La cocotte s'est trompée, tu es une sale charogne puante, pas un chihuahua.

Haussant la voix, il s'adresse à Victor:

— Attends! On va placer ton passager dans le train!

Victor, qui avait déjà en main les rênes du cheval, redescend de la voiture d'un mouvement souple mais sans hâte. Les conflits de travail entre les employés de la gare ne l'intéressent pas. Tout ce qu'il veut, c'est remplir sa mission. Si ces deux-là sont prêts à fournir leur part, ça va.

À trois, la caisse est placée sans encombre dans le dernier wagon. Cette section n'est pas destinée à recevoir des passagers, mais des colis de toutes sortes. Pour l'instant, il n'y a que des sacs postaux et des paquets de taille réduite.

Victor et Fortin sautent sur le quai tandis que Jolicœur termine son travail à l'intérieur du wagon. Lorsque Victor est de nouveau assis dans la voiture et que le cheval s'ébranle, il jette un dernier regard sur le quai, le temps d'entrevoir Fortin qui ramasse sa casquette sur le banc.

Pendant un moment, deux images se superposent dans l'esprit de Victor. Il a l'impression d'avoir déjà vécu cette scène. Une autre personne qui prend un objet sur un banc. Sur ce banc, vers la même heure. Il se revoit s'éloignant dans la voiture, s'étonnant vaguement de quelque chose. Mais de quoi? Et qui était sur le quai? Sûrement pas un voyageur. Peut-être le chef de gare? Non, Robitaille! Qu'y avait-il de si surprenant à ce que Robitaille reprenne sa casquette? C'est qu'il n'en portait pas. Il travaillait nu-tête. Alors, qu'a-t-il pris avant d'entrer dans la gare? Victor force sa mémoire pour se souvenir de l'objet qu'il a aperçu dans ses mains.

Ce n'est que quelques rues plus loin que Victor se rappelle tout à coup. Le cahier rigide qui sert à noter l'inventaire des hangars. En quoi cela lui paraissait-il si extraordinaire, ce matin-là? Robitaille effectuait l'inventaire avant de revenir placer les cercueils dans le train. Il était donc normal qu'il ait déposé son cahier sur le banc pour soulever les caisses.

Ce qui n'était pas normal, c'est qu'en revenant des hangars Robitaille avait les mains vides. Il ne tenait pas le cahier. Et pour cause! Puisque, tout le temps que Robitaille se trouvait dans les hangars, le cahier était resté sur le banc. Sur le même banc où Victor attendait son retour.

Maintenant, il se souvient de l'avoir poussé du bout des doigts pour s'asseoir sur le banc. Mais que manigançait donc Robitaille dans les hangars?

De froides gouttelettes tombent une à une, puis se déversent plus rapidement du ciel bas. Victor encourage son cheval à accélérer.

Les menottes aux poings, Robitaille entre dans la cour du Palais de justice. Encadré par deux agents de police, il s'arrête sur le seuil pour s'acclimater à l'ambiance de la vaste salle. Une dizaine de curieux forment une foule insignifiante éparpillée sur les nombreux bancs. Les ignorant, l'accusé cherche à adopter l'attitude d'un innocent injustement incriminé. Depuis son arrestation, son avocat lui a maintes fois répété qu'il n'existe aucune preuve de sa culpabilité, que toute cette affaire repose sur des présomptions. Rien à craindre selon lui! Ce procès n'est qu'une simple formalité. Quand le coroner, le docteur Lavigne, un homme grisonnant et chétif qui trône sur son haut siège, découvrira son erreur, il sera aussitôt remis en liberté.

Robitaille voudrait le croire, mais ça ne l'empêche pas d'être effrayé. Ce n'est pas le distingué maître Bélair qui couche en prison. Il est facile de rester calme lorsque son honnêteté n'est pas en cause. Louis Bélair, un sourire rassurant sur les lèvres, l'encourage à se plier à l'ordre du coroner et à s'installer à la barre des témoins.

Robitaille se remémore les conseils généreusement prodigués par son avocat. Ses réponses doivent être courtes et concises. Moins il donnera de détails, moins le représentant du ministère public pourra mettre le doigt sur des éléments suspects. Chacune de ses paroles risque d'être analysée et retournée contre lui. Il faut donc qu'il se contente de réagir au minimum. Tout en restant poli, évidemment.

Les mains moites et une pénible sensation de froid lui parcourant les veines, il porte toute son attention sur les questions qui l'assaillent. Prenant une longue respiration avant chaque réponse, autant pour se donner le temps de réfléchir que pour calmer le timbre de sa voix, il tente de ne pas sombrer dans l'affolement.

... Je n'ai jamais rencontré cette fille, auparavant.
... Non, elle n'était pas sur la voie ferrée.
... Les rails étaient vides, complètement vides.
... J'étais dans les hangars.

... Pour l'inventaire.
... Oui, j'étais seul.
... Non, je n'ai pas touché à la victime.
... J'ai laissé l'employé de la morgue sur le quai.
... J'ignore d'où vient la fille.
... Je suis revenu pour embarquer les cercueils.
... Non, je ne connais pas la victime.
... Oui, je suis passé par là en revenant des hangars.
... Non, je n'ai rien vu.
... Non, j'étais sobre.
... Elle n'était pas là! Elle n'était pas là!

Les questions l'étourdissent. Harcelé par le coroner et l'avocat de la Couronne, Robitaille s'énerve et perd son sang-froid. Il hausse le ton et proteste de son innocence en arguant qu'ils n'ont pas le droit de le traiter ainsi, que rien ne justifie son arrestation, qu'il n'a rien à voir dans toute cette histoire. Il est dans un tel état de surexcitation qu'il remarque à peine les tentatives de Louis Bélair pour le tirer de ce mauvais pas. Au bout d'un moment, le coroner le renvoie, ayant, semble-t-il, trouvé matière à réflexion dans les propos de l'inculpé. Sur cette inquiétante conclusion, Robitaille est entraîné hors du tribunal.

De retour dans sa cellule, il s'écroule sur le lit, l'unique meuble offert aux pensionnaires de la prison. Allongé sur le dos, un bras replié sur le front, il erre dans l'angoisse. Mais qu'est-ce qui lui a pris aussi de manigancer ça? Et s'il avouait tout? Pourtant, Bélair lui a promis qu'il ne serait pas inquiété.

D'après son avocat, tout doit se régler rapidement et sans problème. Le seul véritable témoin parlera en sa faveur puisqu'il affirme qu'aucun corps n'était étendu sur les rails.

Robitaille s'assoit, anxieux. Alors, pourquoi l'a-t-on interrogé avec tant de brusquerie? On n'enferme pas un présumé innocent. Seuls les coupables sont placés sous bonne garde. Il se signe de ses mains tremblantes:

— Jésus, Marie, ayez pitié de moi!

8

La légère ondée qui est tombée ce matin n'est rien en comparaison de l'averse qui déferle sur Québec à l'heure du midi. Remontant le col de son veston et rabattant sa casquette sur ses yeux, Victor se précipite dans le premier abri à sa portée, l'entrée du restaurant *Le Clairon d'Or*. Il n'est pas le premier à y pénétrer. En ce moment, l'endroit est bruyamment envahi par les étudiants des diverses facultés de l'université. Les plus chanceux ont pu trouver une place assise, les autres mangent debout autour du comptoir, une assiette à la main.

L'odeur des habits humides se mêle à celle des cigares et des pipes, mais ne parvient pas à couvrir entièrement le fumet des plats si appréciés de la maison. Se faufilant jusqu'au comptoir, Victor remarque deux demoiselles attablées dans un coin. Surprises par la pluie, elles ont trouvé refuge ici avant l'arrivée massive de la gent masculine. Elles parlent à peine pour ne pas trop attirer l'attention.

L'une d'elles est nulle autre qu'Élise Vaillancourt. Il brûle d'envie de la rejoindre pour un brin de causette, mais il se retient, car sa conversation ne passerait pas inaperçue. Il préfère éviter de nourrir les commérages et les ragots. Il profite qu'elle ne l'a pas encore aperçu pour lui tourner le dos.

Rongé par le remords, il chipote son repas sans vraiment y goûter. Il se sent un peu lâche de ne pas aller vers elle uniquement parce qu'on pourrait mal interpréter son geste. Après tout, quel tort y aurait-il à saluer la fille de son professeur? De plus en plus honteux, il farfouille dans son assiette, incapable de se décider à parcourir les quelques pas qui le séparent d'elle.

Il sursaute lorsque le serveur lui tapote l'épaule et lui glisse à voix suffisamment haute pour être entendue de plusieurs de ses voisins:

— Il y a une petite dame par là qui vous adresse ses meilleures salutations.

Victor demeure immobile pendant deux ou trois secondes. Qu'est-ce qui peut la pousser à entrer en contact avec lui? C'est un visage feignant la surprise qu'il présente à Élise. Elle porte la même robe tailleur verte que lors de leur première rencontre et qui la met tant en valeur. Ses yeux noirs se posent sur lui avec appréhension. Il perçoit soudain la crainte qui habite cette fille de bonne famille à côtoyer des étudiants tapageurs et aux blagues de mauvais goût.

Il oublie sa futile retenue et lui sourit franchement. Avant de s'approcher d'elle, il commande au serveur trois choux à la crème et du thé. Cette dépense fera un trou dans son budget, mais il s'ingénie à obtenir le pardon pour une offense dont personne ne l'accuse.

Il ignore volontairement les coups de coude que certains se donnent en le voyant s'asseoir auprès d'elle sur le long banc de cuir fixé au mur. Il sait que sa seule présence la rassure.

— Voici mon amie, Léonie Baribeault, lui indique-t-elle en guise de présentations. Et monsieur... Ah! c'est vrai. Je ne connais pas votre nom, ni vous, le mien.

Léonie rit sous cape pendant qu'il décline son identité avant de corriger rapidement:

— Je sais qui vous êtes. Votre frère, Napoléon, m'a renseigné.

— Renseigné? le taquine Léonie. Comment ça? Vous avez effectué une enquête sur Élise!

Victor veut dissiper la confusion qu'il a engendrée par l'utilisation d'un terme incorrect, mais il ne réussit qu'à s'empêtrer dans ses explications. Heureusement pour lui, le serveur dépose les desserts sur leur table. Tournant les talons, il assure que le thé ne tardera pas.

— Il y a erreur, souffle Élise, interdite.

— Non, explique Victor, non, j'ai demandé quelque chose pour nous trois. Après tout, avec la pluie, dehors, vous ne pouvez pas partir tout de suite. Alors, puisqu'il faut attendre, pourquoi ne pas nous gâter avec une des spécialités de l'endroit? J'espère que c'est à votre goût.

— Je n'aurais pas pu mieux choisir moi-même, affirme Léonie avant de grignoter la pâte légère du bout des dents.

Victor qui n'avait d'yeux que pour Élise observe enfin sa copine. Plus menue qu'elle, mais tout aussi coquette, elle porte un long manteau bleu nuit qui cache à moitié une robe dans les mêmes tons. Cette couleur sombre met en évidence ses yeux bleus très pâles, définis par des cils et des sourcils brun foncé.

Si, pour Victor, Élise est jolie, Léonie représente le type même de la beauté classique. Il est frappé par la symétrie parfaite de ses traits. L'équilibre entre ses yeux, sa bouche, l'ovale du visage lui rappelle une statue grecque qu'il avait admirée lors d'une exposition au Séminaire. Pourtant, cette perfection semble éclipsée par la vivacité d'Élise. Celle-ci a peut-être les yeux un peu trop près du nez mais ils expriment une telle joie de vivre. Son nez peut paraître trop court, Victor lui trouve un air coquin. Et quel charmant bout de langue rose elle glisse doucement sur ses lèvres pour y cueillir les touches de crème qui s'y sont déposées!

Pour couper court aux émotions, il verse le thé que le serveur vient à peine de leur apporter. Il se forge un masque poli et souriant tout en écoutant distraitement le bavardage des demoiselles. Rassérénées par la présence de Victor à leur table, elles ont repris le cours de leur conversation. Gênées, elles ne s'adressent pas franchement à lui mais, à l'occasion, elles l'incitent d'un regard à faire part de ses opinions. Peu à peu, le restaurant se vide. L'heure du dîner s'achève et les étudiants regagnent les salles de cours de l'université.

Le nombre de témoins diminuant, la timidité d'Élise disparaît au même rythme. Elle se tourne vers Victor et lui lance à brûle-pourpoint:

— Louis m'a appris que vous aviez raison!

Il fronce les sourcils et cherche à démêler de qui et de quoi il est question. Elle répète pour clarifier ses dires:

— Louis! Maître Louis Bélair, l'avocat! Il s'occupe de votre histoire, celle de la fille trouvée morte à la gare. Vous pouvez être fier, grâce à vous une erreur judiciaire sera réparée.

— Oh! je n'y suis pas pour grand-chose. Je crois que le policier qui a recueilli les premiers témoignages avait aussi des doutes. J'espère seulement que maintenant on arrêtera le bon coupable.

— Si vous pensez à l'employé de la gare, n'ayez aucune inquiétude. Louis le défend.

— Et comme Louis est le meilleur avocat de Québec, l'interrompt Léonie sur un ton moqueur, l'accusé pourrait être le diable en personne qu'il obtiendrait tout de même la communion sans confession!

— Léonie! s'offusque Élise. Ne l'écoutez pas, elle adore me taquiner. Mais, au fond, elle n'est pas loin de la vérité. Avec Louis pour avocat, l'accusé n'a rien à craindre. Ceci dit sans parti pris.

— Sans parti pris! la gronde Léonie en ricanant. Comment pourrais-tu être objective quand il s'agit de ton fiancé? Avoue que, depuis que la date de ton mariage a été fixée, tu ne peux pas prononcer trois mots sans que le merveilleux Louis y apparaisse.

Excédée par les propos de Léonie, Élise baisse les yeux pour ne pas affronter le regard de Victor et souffle:

— J'avoue. Maintenant, pourrions-nous parler d'autre chose?

Victor, frappé de plein fouet par cette nouvelle, s'efforce de garder un visage serein, mais ne peut terminer son thé.

— Je suis désolé d'avoir à partir aussi rapidement. Je ne veux pas passer pour un mal élevé, mais les cours reprennent bientôt et les enseignants sont très stricts sur la ponctualité. J'ai été enchanté de vous rencontrer. Mesdemoiselles.

Un piètre sourire sur les lèvres, Élise le regarde régler sa note avant de disparaître à l'extérieur. Puis, elle fixe Léonie droit dans les yeux.

— Pourquoi as-tu agi ainsi? À trop insister sur Louis, tu as fini par l'importuner.

— Ma pauvre Élise, il y a des comportements qui portent à confusion et qui peuvent nous entraîner loin. C'est vrai, j'ai volontairement insisté, je le sais. Mais, dans la vie, quand un choix est arrêté, il faut aller jusqu'au bout.

Élise est abasourdie. Elle tombe des nues. Mais qu'est-ce que son amie s'imagine là? Elle est ravie à l'idée d'épouser Louis. Ce n'est pas parce qu'elle parle à un autre homme qu'elle désire tricher son fiancé. Elle se contente de hausser les épaules et change de sujet de conversation.

Dehors, Victor revient sur terre. Il concède à regret que ses fabulations sentimentales n'avaient aucun fondement. Il devrait laisser ces jeux galants à d'autres puisqu'il ne possède apparemment aucun don pour ce genre d'exercice. Plus naïf et crédule que lui, il n'y a que Candide.

Il se sermonne, mais ses reproches sont teintés d'incertitude. Une infime lueur d'espoir, au fond de lui, insinue en douce qu'il ne lui est pas complètement indifférent. Mais à quoi bon persévérer dans une voie qui lui est interdite? Elle est fiancée à un des hommes les plus en vue de la ville. Il serait irréaliste d'espérer, ne serait-ce qu'une seconde, rivaliser avec lui!

En s'installant à son pupitre, il se convainc de l'oublier. Malheureusement, Alfred Turcotte l'interpelle en s'appuyant sur son bureau d'un geste provocateur:

— Monsieur le vicaire a décidé de sacrifier sa soutane pour courir les jupons!

Il se tait, le temps d'apprécier les rires plus ou moins discrets de quelques étudiants. Victor demeure silencieux, mais plonge un regard hargneux dans les yeux qui l'épient à quelques pouces de son visage. Ce Turcotte, il le connaît depuis longtemps et, entre eux, il y a toujours eu une rivalité. Victor ne peut supporter ce fils à papa qui n'a pas à craindre pour son avenir puisque son paternel couvre toujours ses erreurs et ses gaffes.

— Et pas n'importe quels jupons! clame Turcotte. Ceux de la petite Vaillancourt.

Les rires se font plus prononcés. En entendant ce nom, ceux qui n'avaient pas encore porté attention aux deux protagonistes dressent l'oreille, vivement intéressés. Victor aperçoit Napoléon qui se redresse et s'approche d'eux.

— C'est de ma sœur dont vous parlez? Dans ce cas, je ne vois pas ce qu'il y a de si drôle!

Victor comprend que la situation risque de mal tourner et tente de la changer à son avantage.

— Turcotte, tes insinuations sont injustifiées. Si tu es aussi bien élevé que tu le prétends, cesse de raconter n'importe quoi.

La riposte est vive et sifflante:

— Quelle fière allure il a, notre délicat curé de campagne! Bravo pour ce sermon, digne d'un archevêque. Tu as eu tort de lever le nez sur la vocation ecclésiastique. Un avenir florissant t'y attendait. Ce n'est pas très joli de tourner le dos à la chaire pour une autre...

Il n'a pas le loisir de terminer sa phrase que le poing de Victor l'atteint au visage. Éberlué, il recule à peine, la lèvre inférieure fendue. Avant que quiconque ne songe à intervenir, il reçoit un deuxième coup, sur le nez. Perdant cette fois-ci l'équilibre, il tombe à la renverse.

Deux ou trois camarades accourent pour retenir Victor qui ne peut que se contenter d'humilier verbalement son adversaire.

— Tes allusions sont dégradantes pour toi et déshonorantes pour mademoiselle Vaillancourt. Si tu es incapable de parler en des termes plus respectueux, tais-toi!

— Espèce de sale prétentieux! rage Turcotte en se relevant brusquement.

Il fonce sur Victor et l'agrippe par la veste pour continuer la bagarre. Se croyant plus costaud, il n'a pas l'intention de s'en laisser imposer par cette demi-portion. L'intervention de Napoléon et de quelques étudiants nuit à sa vengeance. Victor et Turcotte se débattent pour se rejoindre et régler cette affaire à leur entendement. De part et d'autre, des paroles cinglantes et mesquines sont échangées, parmi elles le nom d'Élise revient à quelques reprises. La bataille verbale est interrompue par le docteur Vaillancourt en personne.

— Messieurs! Messieurs! réclame-t-il en frappant sa canne sur le plancher de l'estrade. À l'ordre!

L'effet est immédiat. Les étudiants sursautent, rougissent ou pâlissent selon leur implication dans l'événement du jour, et réintègrent leur place respective. Napoléon hésite sur la meilleure attitude à adopter et opte finalement pour le silence. Il ne parlera que si son père daigne l'interroger. Turcotte lance un regard meurtrier à son adversaire avant de revenir à son pupitre. Victor se laisse couler sur son siège. Un silence penaud règne enfin dans la salle.

À la vue du sang sous le nez de Turcotte, le docteur n'a pas besoin d'une longue explication pour comprendre. Il plante son regard sur lui et ne laisse tomber que deux mots:

— Avec qui?

Ne s'attendant pas à une question aussi concise, Turcotte ouvre la bouche, mais reste muet. Comme, de toute façon, la vérité se saura un jour ou l'autre, Victor préfère ne pas laisser son adversaire jouer au délateur et se dénonce lui-même. Vaillancourt, toujours aussi laconique, demande simplement:

— Pourquoi?

— Parce que j'ai jugé qu'il méritait une bonne correction.

Si la réponse laisse le professeur pantois, elle ranime les étudiants qui cachent de leur mieux leur envie de rire. Même Napoléon, qui prend la réputation de sa sœur au sérieux, dissimule un sourire derrière sa main. Mais son sens de l'humour ne doit pas être héréditaire. Le docteur Vaillancourt plisse les sourcils, signe d'une extrême colère, et, d'une voix froide, il proclame sa sentence.

— Et moi, je juge que les combats de boxe ne sont pas de mise dans ma classe. Je crois que, vous et moi, nous devrions avoir une sérieuse discussion. Ce soir, après les cours. Vous aussi, monsieur Turcotte.

Délaissant l'incident, qu'il considère clos, le professeur commence son cours. Victor rumine. Turcotte aurait dû bénéficier beaucoup plus tôt de cette raclée. Il se rappelle toutes ces années au petit et au grand Séminaire où il a enduré ses sarcasmes.

Turcotte lui reprochait surtout de ne pas être issu du même milieu. Il n'était pas le seul à penser ainsi, mais personne à part lui ne l'affichait aussi ouvertement. Victor a toujours pressenti qu'on ne supportait sa présence que parce qu'il devait, à la fin de ses cours, s'engager sur la voie ecclésiastique. Quelle mauvaise surprise ce fut pour son oncle, simple curé de campagne, quand, après sa dernière année d'études, il lui avait annoncé son intention d'envisager une carrière en médecine. Une douloureuse sensation aux jointures de sa main droite chasse rapidement le souvenir de la colère de son oncle.

Difficile de marteler une tête aussi dure que celle de Turcotte sans quelques séquelles! Ayant suffisamment attiré l'attention pour aujourd'hui, il adopte l'attitude sage de l'étudiant modèle. Plus il se fera oublier, plus le professeur fera preuve d'indulgence à son égard. Lorsqu'on n'a pas la chance de bénéficier d'un solide appui familial, on se crée son propre mode de survie.

Lors de la pause, il aperçoit Turcotte discutant avec le docteur Vaillancourt au lieu d'aller se dégourdir les jambes comme les autres. Qui croit-il berner avec ses manigances d'arriviste? Toujours là pour embêter ou pour rejeter les fautes sur un autre. Victor n'est pas dupe, mais il préfère sourire à cette lâcheté et l'ignorer avec dédain.

Dans le couloir, les coudes appuyés sur la main courante de la cage de l'escalier, il s'obstine à fixer son attention sur l'activité des étages inférieurs. Il oublie délibérément ses camarades de classe qui discutent dans son dos. Il ne se trouble pas outre mesure de l'isolement qu'il endure quotidiennement et qu'il n'ambitionne pas vraiment de rompre. Il apprécie la solitude. Il refuse de faire les premiers pas pour changer cet état de choses. Il refuse de quémander l'amitié.

Une main posée sur son épaule le tire de sa rêverie.

— Qu'est-ce qui s'est passé avec ma sœur? demande Napoléon en le forçant à se retourner.

Derrière lui, Victor voit clairement des étudiants qui lancent de fréquents coups d'œil en leur direction. Nul doute que leur indiscrétion servira à alimenter les conversations. Il les vise d'un geste de la tête:

— Il y en a plusieurs parmi eux qui ont assisté à l'événement. Demande-leur! Ils te renseigneront mieux que moi.

— Je préfère aller directement aux sources. Les racontars, ça ne m'intéresse pas. Alors?

Victor observe plus attentivement son camarade. Environ de la même taille que lui et tout aussi imberbe, avec ses yeux sombres et ses cheveux bruns, il ressemble beaucoup à Élise. À tel point que Victor est surpris de ne pas avoir constaté plus tôt les liens du sang qui les unissent.

— Il n'y a pas de quoi en faire toute une histoire. Elle se trouvait au restaurant *Le Clairon d'Or* avec une amie. Elle m'a reconnu et nous avons causé. Voilà!

— Dans ce cas, pourquoi Turcotte a-t-il proféré des insultes?

Lassé de toute cette affaire, Victor hausse les épaules. Il ne va quand même pas lui raconter les frictions qui se sont accumulées au fil des ans.

— Il existe des inimitiés naturelles difficiles à expliquer. C'est moi qu'il cherchait à blesser, pas ta sœur. Je suis vraiment désolé qu'elle ait servi de prétexte à sa mesquinerie. Elle ne mérite pas qu'on la traite ainsi.

Victor ne s'attend pas à être cru sur parole. L'esprit de famille va certainement pousser le frère à lui conseiller de se tenir loin d'Élise.

— J'avoue que Turcotte m'a toujours paru antipathique, sans véritable raison, ma foi! admet Napoléon à la grande surprise de Victor. Sans véritable raison avant aujourd'hui!

Il s'interrompt car les étudiants sont appelés à revenir en classe. Il chuchote pourtant, juste avant de passer la porte:

— Ne t'inquiète pas. Mon père n'a pas l'habitude de se laisser embobiner.

Victor ne se sent pas rassuré pour autant. Il doute que cela ne réduise en rien l'affrontement de tout à l'heure. Turcotte est passé maître dans l'art de tourner les événements en sa faveur. Il y a de fortes chances que le docteur Vaillancourt le croie. Qui se montrera le plus sévère? Le professeur indisposé par son geste belliqueux ou le père offusqué par ses manières trop familières? Les deux, peut-être.

9

À la fois dégoûté et révolté, Victor s'approche de la pension de madame O'Brien. Si la rencontre avec son enseignant a été de courte durée, elle n'en fut pas moins rude. Vaillancourt lui a clairement laissé entendre qu'il s'était renseigné sur son cas depuis qu'il était arrivé en retard à son cours au début de la semaine. Son travail de nuit et son absence de famille sont à ses yeux des tares que l'étudiant devrait atténuer par une assiduité plus prononcée. Sinon, ses notes pourraient s'en ressentir.

Comme Victor l'avait prévu, Turcotte n'a pas eu à rester après les cours. Ce dont son camarade et l'enseignant ont pu discuter pendant la pause, il n'en sait rien. Il n'a reçu aucun reproche au sujet de la cause de l'altercation. Le docteur n'a émis qu'une légère allusion à sa fille. Allusion qui était néanmoins chargée de sens:

— La vocation de médecin inclut une dignité et une morale hors de tous reproches. Nous devons être un exemple pour la société. S'il n'en était pas ainsi, nos concitoyens pourraient en toute justice nous pointer du doigt et remettre en question notre intégrité. Tous manquements, quels qu'ils soient, bataille, comportement impoli, attitude insouciante envers les jeunes filles, sont inadmissibles dans notre profession!

Victor n'a pas besoin de menaces plus précises. Rien de plus simple pour un enseignant que de rabaisser une note pour éliminer un étudiant indésirable. Le docteur Vaillancourt irait-il jusque-là pour l'éloigner de sa fille? Victor figure-t-il sur sa liste des futurs bons médecins?

Il se sent démuni face aux mailles serrées du réseau qui unit la haute société de Québec. Il ne bénéficie d'aucun contact ni d'aucun lien avec les membres de ce club sélect. Plus il progresse dans ses études, plus l'importance de cette organisation non officielle, qui permet l'avancement et qui facilite l'entrée dans le monde, lui saute aux yeux.

Il songe tout à coup que de mauvaises langues pourraient croire qu'en fréquentant Élise il aspirait à se placer les pieds. Turcotte a dû élaborer ce raisonnement obtus en l'apercevant assis auprès d'elle. C'est ce qui aurait motivé son comportement. Déjà qu'il ne le portait pas dans son cœur, alors s'imaginer qu'il la courtisait par intérêt fut la goutte de trop! Cet imbécile n'a pas de soucis à se faire, Victor a décidé de renoncer à une course où il n'a jamais été un véritable participant.

Sur cette conclusion un peu déprimante, il monte l'escalier intérieur qui mène à sa chambre. Les quatre jeunes prostituées de la maison sont assises sur les marches et bloquent l'accès. Rose-Aimée, sur un ton décidé, presse ses compagnes:

— Il est gentil! Même si c'est un monsieur qui a de l'éducation, il fait pas de manières. Vous avez vu, ce matin, à la gare. Pas prétentieux, il nous a saluées. Il va accepter...

Elle se tait en apercevant Victor qui s'arrête sur la marche palière. Le groupe compact lui interdisant de grimper plus haut, il soulève sa casquette et leur adresse un sourire timide. La présence de ces filles délurées le trouble parfois.

Rose-Aimée prend aussitôt la direction des opérations. Confiante du résultat, elle l'aborde sans détours.

— Bonjour, M'sieur Victor. Si ça vous dérange pas trop, on aurait besoin de votre aide.

Il porte spontanément son regard sur Angélique et s'enquiert de son état de santé.

— Vous ne vous sentez pas mieux? J'aurais pourtant cru que le traitement serait efficace.

— Ça fait plus mal, assure la fille maigrichonne.

Ses yeux sont profondément cernés, ses joues sont pâles et elle cache ses doigts gelés sous les plis de sa jupe mais, grâce à son repos forcé, elle reprend des forces. Ses compagnes ont convaincu la patronne de se montrer patiente. Madame O'Brien a accepté d'attendre encore une semaine pour la remettre au travail.

— Vous êtes un pas mal bon docteur, complimente Rose-Aimée. Son dos guérit vite. Votre crème est efficace.

— J'en suis heureux pour vous, mesdemoiselles. Dans ce cas, en quoi puis-je vous être utile?

Pressée d'en finir, Lolita explique d'une voix sèche et brusque, comme si elle ne mettait que peu d'espoir dans sa démarche et qu'on la forçait à l'effectuer.

— C'est une lettre que j'ai reçue. Je sais lire, mais elles m'astinent que je me trompe. Si vous voulez la lire à votre tour, elles vont voir que j'ai raison.

Elle lui tend une enveloppe chiffonnée. Il est évident qu'elle l'a pliée, roulée, tortillée avant de l'enfouir dans le fond de sa poche. La lettre a été lue et relue, cela ne fait aucun doute.

Il se penche sur une écriture large et tremblotante. À haute voix, il répète ce qu'elles doivent déjà savoir.

— *Chèr Loli, je vas te rejoindre bientôt. Le voyage me coûte rien. Je vas être la dame de compagnie d'un grand monsieur. Si tu vois ce que je veux dire. Il veut pas se promener tout seul. J'arriverai à Québec, jeudi au matin par le premier train à six heures. Vien me prendre à la gare. Ta sœur qui pense à toi, Joséphine.*

Repliant la lettre avec soin, il la remet à sa propriétaire. Celle-ci s'exclame à demi triomphante:

— Je vous l'avais dit que c'était aujourd'hui. J'ai pas menti, vous le voyez bien.

— Pourquoi qu'était pas là à matin, d'abord? riposte Rose-Aimée.

— Comment je pourrais savoir? Elle a peut-être changé d'idée...

L'amertume et la déception percent dans sa voix. Angélique, pour la consoler, imagine une explication moins triste.

— Elle peut avoir raté le train. Ça arrive, des fois, d'être en retard. Le train, lui, il attend pas.

Sabrina hausse les épaules sur ce raisonnement enfantin. Implacable, elle affirme:

— Ben non, c'est plus simple que ça. Son bonhomme a décidé qu'il était plus intéressé. Et il l'a plantée là! Joséphine, elle viendra pas. Fais une croix dessus.

Oubliant totalement la présence de Victor, elles argumentent de plus belle. Débordé par cette bataille de poulailler, il patiente en se disant avec philosophie que cela ne peut durer longtemps. En effet, Angélique, toujours aussi craintive pour sa place, les rappelle à l'ordre.

— Chut! les filles! Moins fort, si m'ame 'Brien vous entend...

— Oh! Elle! se moque Sabrina avec un mouvement de bras qui montre clairement qu'elle s'en balance.

Rose-Aimée intervient en faveur de l'étudiant qui attend encore dans l'escalier.

— Pauvre M'sieur Victor, où est-ce qu'on a la tête? On vous barre le chemin et vous avez l'air fatigué. Tassez-vous, les filles. Faut qu'il se repose avant d'aller travailler cette nuit. Merci ben, m'sieur.

— Tout le plaisir était pour moi. Bonne soirée.

Il se faufile entre les jupes des filles qui, tout en demeurant les propriétaires de l'escalier, se rangent juste assez pour qu'il puisse poser les pieds sur les marches. La porte de sa chambre n'est pas sitôt fermée derrière lui que la discussion reprend, mais à mi-voix.

Il se dévêt sans hâte tout en jonglant à la sœur de Lolita qui ne s'est pas présentée au rendez-vous de ce matin. La raison de la présence de ses voisines à la gare du Palais devient maintenant évidente. Cette question ne le préoccupait pas de quelque manière que ce soit mais, la curiosité l'emportant, il était tout de même intrigué.

Il se tracasse pourtant de l'absence de Joséphine. Si elle a pris soin d'avertir sa sœur de son arrivée, c'est qu'elle était certaine de réaliser son voyage. Elle a pris le temps de lui écrire et a payé les frais de poste. Il n'ignore pas à quel point ces formalités sont exigeantes pour les gens de peu de fortune.

Mû par une idée subite, pieds nus et chemise déboutonnée, il va rejoindre les filles dans les marches. Elles cessent leur bavardage en le voyant s'accroupir près d'elles.

— Mademoiselle Lolita, puis-je revoir votre lettre? Je crois qu'il y a un détail qui m'a échappé.

La politesse extrême qu'il utilise à leur égard les impressionne et les flatte chaque fois qu'il leur adresse la parole. Lolita, qui normalement se rebiffe quand on la bouscule trop à son goût, cède à cette gentillesse inhabituelle. Il n'ouvre pas l'enveloppe. Il scrute plutôt le sceau postal. Relevant la tête, il affirme:

— Votre sœur vous a écrit la semaine dernière. Elle a posté cette lettre le mercredi 17 septembre.

— Ça a pris tout ce temps-là pour que la lettre arrive! s'étonne Rose-Aimée.

— Il faut compter plusieurs jours pour que le courrier se rende à destination, constate-t-il. Si elle l'ignorait, il est possible qu'elle se trouvait dans le train de jeudi dernier.

— Ben non! riposte Lolita. Joséphine serait venue ici. Elle connaît l'adresse. Elle l'aurait trouvée, même si elle est jamais venue à Québec avant.

Refusant de croire à cette éventualité, Lolita récupère sa lettre et l'enfouit dans son corsage d'un geste provocateur. Joséphine n'est pas en ville. Elle n'a aucune idée de ce qui la retient à Montréal, mais elle est convaincue d'avoir raison.

Victor préférerait ne pas lui donner tort. Cependant, il entrevoit une possibilité peu réjouissante. Se fiant à son intuition, il s'informe:

— Votre sœur était-elle rousse?

Déconcertée, Lolita le fixe longuement avant de répondre:

— Comment vous savez ça?

Victor est attristé; il souhaiterait être dans l'erreur. La tête basse, il cherche comment leur mentionner que le corps de Joséphine repose probablement à la morgue de Québec.

Il lui a fallu leur raconter la découverte du cadavre d'une fille rousse sur les rails, la semaine dernière. N'étant pas des adeptes des journaux – elles ne touchent au quotidien acheté par leur patronne que pour y jeter les pelures de patates –, elles ignoraient tout de cette affaire. Malgré cela, Victor n'a pas convaincu Lolita. Elle s'est accrochée désespérément à son idée fixe. Sa sœur a eu un empêchement, elle ne viendra pas la rejoindre. Sabrina, moins émotive que ses compagnes, a suggéré que, pour en avoir le cœur net, elles devaient se rendre à la morgue, et il s'est montré favorable à cette visite. Victor reconnaît que cela sera pénible, mais seule une identification visuelle permettra de mettre fin aux incertitudes.

Plus tard dans la soirée, accompagné de Lolita et de Sabrina, silencieuses et intimidées, il est satisfait de ne rencontrer que Siméon junior à la morgue. Cela évitera les longues explications au directeur et au médecin légiste, si ses présomptions s'avèrent fausses. Il conduit les filles à la dernière salle en commentant:

— Nous arrivons juste à temps. Cet après-midi, le coroner a signé le permis d'inhumer. Une journée de plus et il vous aurait été impossible de l'identifier, enfin, si c'est elle.

Par terre, le long du mur, un cercueil sans ornement, une simple caisse de bois, attend d'être mis en terre. Tandis qu'il soulève la planche servant de couvercle, Victor observe les réactions de Lolita. Elle tient le coup, même si elle donne l'impression d'être indisposée par l'odeur de formol qui règne dans la pièce.

Allongée dans la boîte, la victime est seulement recouverte d'un drap, ses vêtements étant conservés par la morgue pour les besoins de l'enquête. À travers le tissu, il semble que la tête soit déposée au bon endroit, mais, pour éviter tout choc trop violent, Victor prévient Lolita:

— Vous savez qu'elle a eu le cou tranché. De plus, une semaine s'est déjà écoulée depuis sa mort. Ce n'est pas un spectacle très agréable...

— Oui, oui, coupe Sabrina, mais faut voir, sinon on saura jamais. Allez-y!

Lolita, plus pâle et plus tremblante à mesure que la confrontation approche, l'incite elle aussi à aller jusqu'au bout. Il retire le drap jusqu'aux épaules. La victime a le visage figé dans la même grimace de peur. Les yeux sont légèrement révulsés, personne n'a songé à les lui fermer. La peau séchée a une sombre teinte jaunâtre. Mais sa belle chevelure rousse, intacte, forme une auréole de feu.

Des larmes montent aux yeux de Lolita. Pressant une main sur sa bouche, elle gémit:

— Joséphine, ma Joséphine!

Sans énoncer un commentaire, Sabrina l'attire contre elle et lui tapote doucement le dos. Lolita se répand en larmes sur son épaule accueillante. Victor replace le drap et la planche. Il attend que le chagrin de Lolita soit moins expressif pour l'inviter à s'asseoir dans l'entrée. Côte à côte, les deux amies s'installent sur un banc, Sabrina entourant Lolita d'un bras protecteur.

Siméon junior, que rien ne semble émouvoir, remplit une fiche officielle. Pour lui les règlements sont incontournables et doivent être suivis à la lettre. Il inscrit le nom et l'âge de la victime, pose des questions sur son lieu de résidence, son occupation, et les liens qui l'unissaient à Lolita. Il l'avertit que, si personne ne vient réclamer le corps pour l'enterrer religieusement, la morgue se chargera de le placer dans une fosse commune dès demain.

Lolita qui s'était calmée éclate de nouveau en sanglots. Elle marmonne des paroles incompréhensibles que Sabrina traduit:

— On n'a pas d'argent pour la messe ou le terrain au cimetière. Va falloir que vous vous en occupiez.

Insensible à la douleur des jeunes filles, l'employé griffonne quelques mots au bas de la fiche avant d'exiger la signature de la parente. Lolita renifle un bon coup et appose son nom sur la fiche. Ayant été renvoyées sans plus de manières, elles reprennent le chemin du retour, Sabrina supportant une Lolita trébuchante.

Les suivant de près, Victor s'apitoie sur elles. Ne supportant plus ses reniflements répétés, il tend son mouchoir à Lolita.

— Merci, je vous le laverai, accepte-t-elle avec reconnaissance.

Il se contente de la gratifier d'un sourire piteux. Il voudrait la consoler avec les mots qui conviennent, mais rien ne vient. Tout en les raccompagnant à la pension, il écoute les confidences de Lolita. Cet épanchement la soulage. Sur son visage, l'ombre d'un sourire se dessine à l'occasion, surtout quand elle mentionne des moments heureux partagés avec Joséphine. Sabrina renchérit en remémorant des événements communs. Il apprend ainsi qu'elles sont amies depuis leur enfance, et que c'est ensemble qu'elles ont quitté Montréal pour tenter leur chance à Québec.

Lentement, Lolita commence à accepter la mort de sa sœur. À grand peine, il est vrai, mais elle s'accroche à une maigre consolation.

— Pauvre Joséphine! Au moins, les os lui font plus mal. J'espère juste qu'on va attraper ce démon-là.

Il abonde dans son sens. Il faut absolument que les policiers réorientent leur enquête. Durant le trajet, Victor élabore sa propre théorie sur la mort de Joséphine. Théorie où tout s'emboîte logiquement. Il n'a rien vu sur les rails avant l'arrivée du train, car il n'y avait rien. La fille a été jetée du train peu avant qu'il s'immobilise au quai de la gare. Donc, le coupable ne peut pas être Robitaille mais un passager. Cette découverte s'avère de la première importance pour la libération de Robitaille.

Victor laisse ses voisines devant la porte de la pension et tire de sa poche la carte de Louis Bélair. Le bureau de l'avocat est situé à deux pas de là sur la rue Saint-Pierre. Cette étroite artère peuplée de banques, de maisons de courtage, de bureaux financiers et de grossistes est une des plus fréquentées et animées de la basse-ville. Le jour, les hommes importants, aux portefeuilles amplement garnis y traitent de bonnes affaires. Mais dans la soirée, à cette heure-ci, elle semble abandonnée. Tout ferme pour le repas du soir où les ententes commerciales se règlent entre l'apéritif et le digestif.

Victor se heurte à une porte close. Sous la lumière blafarde d'un réverbère, il vérifie l'inscription sur le bristol. Deux adresses y sont notées. Jugeant les renseignements qu'il a obtenus primordiaux, il se rend au domicile de Bélair. Plus tôt il le mettra au courant, plus vite Robitaille sortira de prison.

Sur la rue du Parloir, il frappe à la haute porte en bois sombre d'une maison de trois étages aux briques couleur sable. Victor est guidé par un majordome vers un salon original et cossu où il a tout le loisir d'examiner le luxe de la pièce. Intimidé par les meubles trop somptueux, il n'ose s'asseoir. Pour cacher sa gêne, il porte son attention sur les tableaux pendus au mur. Ils représentent, pour la plupart, des scènes québécoises: les chutes Montmorency figées par l'hiver et transformées en pain de glace, une vue du fleuve envahi par des voiliers, un champ bordé de forêts teintées de roux et d'or par l'automne.

— Ça vous plaît?

Louis Bélair, toujours aussi élégant, observe son visiteur, un sourire moqueur sur les lèvres. Ses yeux ne manifestent aucune malice, mais plutôt un certain amusement et un peu de fierté à éblouir autrui. L'attitude béate d'admiration de Victor le remplit d'aise. Il croit depuis longtemps que la séduction apporte souvent plus d'ascendant que l'autorité la plus stricte. Le pouvoir du charme ne lui déplaît pas du tout. Résolu à en user largement pour diriger sa destinée, il sait comment attirer à lui même les plus hostiles.

— Beaucoup! J'ignorais que nos paysages intéressaient autant les artistes. Je croyais qu'ici il n'y avait que les thèmes religieux qui les inspiraient.

— Vous n'avez pas complètement tort, concède Bélair en se dirigeant vers un buffet pour remplir d'un liquide mordoré le fond de deux coupes basses à la courbure fortement prononcée.

Se retournant vers Victor, il lui tend un des verres tout en gardant l'autre au creux de la main pour le réchauffer:

— Cognac? Nos artistes sont en effet assez timorés dans leur art. Ils n'arrivent probablement pas à se départir de l'influence du clergé. Enfin, je ne pense pas que vous soyez venu m'honorer de votre présence uniquement pour causer des styles et des tendances de l'art nouveau.

Victor, pour qui les expériences en alcool se résument à quelques bières, n'ose pas tremper ses lèvres dans son verre. Pour l'instant, il se contente d'imiter Bélair et imprime un léger mouvement de rotation au cognac. Prenant place sur le fauteuil que lui indique l'avocat, il lui communique ce qu'il a découvert en omettant méticuleusement certaines données. L'avocat n'a pas besoin de savoir qu'il habite au-dessus d'un bordel.

— Deux filles se sont présentées à la morgue pour identifier le cadavre de la gare.

— Vraiment! C'est un élément qui a son importance. Ça me permettra peut-être d'établir son emploi du temps avant sa mort.

— Justement, je sais où elle se trouvait au moment du meurtre. Dans le train.

Les yeux de Bélair qui exprimaient une sollicitude amusée s'écarquillent d'étonnement. Pour cacher sa surprise, il tripote sa moustache. Cette trouvaille change radicalement la suite de l'affaire. Reprenant son flegme, il déduit:

— Voilà qui met mon client hors de cause sans l'ombre d'un doute. Je vous en prie, donnez-moi tous les détails.

— C'est très simple, mademoiselle Lolita Provost a reçu une lettre de sa sœur lui annonçant son arrivée par le train. Elle partait de Montréal tard dans la nuit pour être à Québec tôt le jeudi matin. Il est probable qu'après l'avoir tuée dans le train son meurtrier a dû la jeter par la fenêtre avant d'arriver en gare.

— Oui, oui. Vous avez sûrement raison. C'est excellent! La fille est morte, il panique à l'idée d'être découvert et se débarrasse du corps de cette façon. Quand le train arrête à la gare, il déguerpit précipitamment. Ni vu ni connu! La chance joue pour lui, personne n'a assisté à la scène.

L'avocat redevient soucieux et répète pour lui-même:

— Personne ne l'a vu... Il est vrai que le train de nuit n'est pas toujours bondé, mais il suffit d'une seule personne pour être aperçu. Il y a un autre point aussi qui m'embête.

Victor, convaincu de tenir en main la solution, ne voit pas ce qui cloche dans son raisonnement.

— C'est la position de la fille. Si je vais à la fenêtre et que je lance un objet à l'extérieur, imaginons même que c'est le corps d'une fille que je pousse dehors.

Passant aux actes, il s'approche de la croisée et l'entrebâille. Intrigué, Victor se place à ses côtés pour ne rien manquer.

— Non, impossible. L'ouverture est trop étroite. Avec l'épaisseur des jupons sous sa robe, même vivante, ç'aurait été pour elle un exploit de passer par là. Alors, morte! Votre assassin serait un prestidigitateur.

— Et s'il l'avait tout simplement poussée par la porte? Oui, il y a des portes de chaque côté du train.

Louis lui sourit d'un air complice:

— Parfait! Donc, son horrible crime commis, l'assassin ouvre la porte du côté opposé à la gare. Il prend la fille à bras-le-corps et la lance le plus loin possible. La victime était menue, si je ne m'abuse, de constitution délicate d'après les rapports d'autopsie.

— C'est vrai.

— Alors, c'est impossible, affirme Louis sans ambages.

Sur cette déclaration laconique, il s'assoit de nouveau pour siroter son cognac. Abasourdi par le ton sentencieux de l'avocat, Victor demeure interdit. Il se secoue et reprend place sur le fauteuil bleu.

— Comment pouvez-vous en être aussi certain?

— Vous n'avez pas vu? C'est pourtant facile à concevoir. Prenez un objet, n'importe lequel, et lancez-le dehors, il atterrira sur le trottoir ou plus loin. Pas sous la maison. La fille s'est retrouvée sous les roues du train et non projetée au loin.

Têtu, Victor s'accroche à la seule certitude qu'il possède:

— Mais elle était dans le train!

Louis secoue la tête avec lassitude:

— Vous vous appuyez sur une lettre qui annonce son intention de prendre le train. Comme tout le monde qui lirait son message, vous êtes persuadé qu'elle a réalisé son projet, mais rien ne le prouve. Rien ne prouve qu'elle était à bord de *ce* train.

Victor qui croyait vraiment tenir la solution de ce meurtre est abattu par le découragement. Tout ce qui, il y a un instant, lui paraissait limpide se recouvre de mystère. La discussion qu'il désirait constructive et décisive quant à l'aboutissement de cette affaire n'aura servi qu'à l'embrouiller davantage. Robitaille n'est vraisemblablement pas encore tiré d'affaire.

Voyant son désarroi, Bélair saisit qu'il l'a ébranlé. Charitable, il tente de le rassurer:

— Ça ne signifie pas que vous ayez complètement tort. D'ailleurs, il faut d'abord vérifier comment elle s'est rendue à Québec. Il y a des employés à bord du train, l'un d'eux l'a peut-être remarquée. Souvenez-vous, je joue à l'avocat du diable pour mieux déjouer la partie adverse. En passant...

Il se penche vers son invité, un sourire de connivence flottant sur ses lèvres, et adopte un ton chaleureux visant à attirer un complice:

— J'apprécierais volontiers que vous ne parliez pas de ceci aux policiers. Pas maintenant. J'aimerais savourer le plaisir de leur damer le pion. Enfin, si vous avez vu juste, il serait fort plaisant de les confronter en cour à l'impossibilité pour mon client d'être impliqué dans ce meurtre. Je n'ai pas tellement goûté la manière dont les enquêteurs ont procédé pour son arrestation. Oui, s'il s'avère que vous ayez raison, la claque que je leur donnerais serait magistrale!

— Ça ne dépend pas de moi. Ces renseignements sont déjà inscrits dans les papiers de la morgue.

— La lettre a-t-elle été déposée comme preuve? Non! Alors, j'ai une grosse journée devant moi, mieux encore, toute la fin de semaine. C'est amplement suffisant pour mener ma propre enquête auprès des employés de la gare. Ne vous tracassez pas pour la façon dont la fille s'est retrouvée sous les roues. Il y a sûrement une raison logique à laquelle nous n'avons pas songé. Merci de vous être donné la peine de venir me renseigner.

Se levant, il lui signifie clairement de mettre un terme à sa visite. Victor qui n'a pas encore touché au cognac dépose le verre intact sur un guéridon. Dehors, un faible quartier de lune perce entre les nuages qui ont accompagné une journée morose. L'automne, et son vent froid, s'installe pour de bon. Malgré l'heure tardive, il est encore trop tôt pour qu'il se présente à l'ouvrage.

Les mains dans les poches, il erre dans les rues de la haute-ville. Cela vaut mieux que de rentrer à la pension où les filles doivent cajoler leurs partenaires d'un moment. Il aimerait mieux ne pas s'attarder sur cette vision sensuelle, mais il se surprend à évoquer les formes désirables de ses voisines. Son corps frémit en imaginant les caresses dont il rêve. Troublé par ses fantasmes, il tente de les chasser en se concentrant sur la fille assassinée.

Il tourne délibérément le dos au quartier de l'université qu'il connaît par cœur et arpente le secteur plus huppé de Québec. Cet enchevêtrement d'avenues qui bordent la citadelle à l'ombre du prestigieux Château Frontenac forme le terrain privé de la belle société de la ville. Derrière la plupart des fenêtres à carreaux, les lumières sont éteintes. Sous les toits pointus aux lucarnes alignées, les gens dorment en paix, sans se soucier qu'un meurtre a été commis la semaine dernière.

Non, tous n'ont pas l'âme tranquille. Victor a l'intime conviction que le meurtrier est ici parmi le beau monde. Pratiquement tous les passagers du train de nuit appartiennent à cette classe privilégiée. Ce sont des hommes d'affaires qui se déplacent de nuit pour ne pas perdre de temps et qui peuvent se payer le luxe d'une chambre. Comment tuer une fille sans témoins, autrement? Impossible de l'agresser dans un wagon ordinaire sans que quelqu'un vienne à sa défense. Et pour se payer une chambre privée, ça prend des sous.

Il scrute les maisons d'un autre œil. Dans l'une d'elles se cache un assassin. Un homme qui, de sang-froid, pour un motif encore indéterminé, a éliminé une vie. Un homme qui se croit supérieur, et qui a l'assurance de ne pas être embêté. Un homme qui doit être satisfait qu'un autre paie à sa place.

Victor n'a plus aucun doute sur l'innocence de Robitaille. Il faut le sortir au plus vite de prison pour qu'il retourne à sa vie habituelle et qu'il réintègre son travail. Mais, il est hors de question de tenter de convaincre l'avocat d'agir maintenant. Il veut profiter de la fin de semaine pour enquêter tout en laissant l'employé de la gare se ronger les sangs en cellule.

Bélair est un homme décidé qui ne se laisse diriger par personne. Mais Victor accepte mal l'idée d'attendre. Aussi, il se rend au poste de police de la rue Saint-Paul et y trouve Grondin qui prête une oreille attentive à son raisonnement ainsi qu'aux nouveaux développements de l'affaire.

Sans perdre un instant, il invite Victor à le suivre à la gare. Celui-ci se réjouit de la confiance que le policier lui témoigne. Il craignait une charge en règle comme celle subie chez l'avocat. Grondin, au contraire, paraît soulagé de mettre enfin la main sur quelque chose de concret. Une lettre à déposer au dossier plus un témoin oculaire de la présence de la fille dans le train, voilà de quoi bien paraître aux yeux du capitaine.

— Si j'ai bonne mémoire, le train pour Montréal part vers minuit et les employés qui travaillent cette nuit sont arrivés de Montréal ce matin. Ils ont un horaire de six jours, donc tous les jeudis, ils font le même trajet. S'il y a un témoin pour nous confirmer que la fille était à bord, la semaine dernière, c'est justement l'un d'entre eux.

La gare est en effervescence. Les passagers font leurs adieux aux amis et parents qui les ont accompagnés jusque-là. Les porteurs trimballent des piles de bagages pour un maigre pourboire. Le chef de gare bouscule ses employés pour accélérer le service. Le conducteur effectue ses dernières vérifications d'usage, tandis que les retardataires se précipitent vers les guichets.

Victor n'avait jamais envisagé qu'il puisse y avoir une telle animation à cette heure tardive. Il constate que la plupart des wagons sont pourvus de chambrettes pour deux ou quatre personnes. Dans le sillon de Grondin, il parcourt un à un les couloirs étroits du train à la recherche des employés affectés au service des passagers.

Ils n'en trouvent qu'un seul, Fortin, celui-là même qui a eu une prise de bec avec Jolicœur, ce matin. Débordé par les exigences des voyageurs, il ne porte attention au policier que lorsque Grondin le somme de le suivre, menaces à l'appui. Abandonnant un passager à ses problèmes de valises égarées, il abdique et entraîne le policier et Victor dans un coin moins achalandé.

— C'est quoi votre question si importante? bougonne-t-il en pestant intérieurement.

Victor sourit en reconnaissant son caractère soupe au lait. Grondin qui en a vu d'autres ne se laisse pas impressionner par cette amorce hargneuse.

— C'est une question de meurtre. Dans mon métier, on prend ça pas mal au sérieux, les assassinats. Donc, ouvre grandes tes oreilles et réponds. Correctement! La semaine dernière, dans la nuit de mercredi à jeudi, travaillais-tu?

Subitement adouci par cette mise en garde, Fortin affirme:

— Évidemment, je travaille toutes les nuits, sauf celle de dimanche. Mon soir de repos.

— Quel trajet?

— Une nuit, je fais Montréal-Québec, le lendemain, l'inverse. Jeudi matin, j'arrivais de Montréal.

— Parfait! Essaie de te rappeler les clients de cette nuit-là. Est-ce qu'il y avait une fille à bord? Rousse, petite, revêtue d'une robe rouge et verte un peu extravagante?

Fortin, qui reconnaît probablement là le portrait de la morte découverte à la gare, joue avec son poinçon. Il tarde à se prononcer:

— Des filles comme ça, quand elles prennent le train, elles sont dans les cabines à deux. Vous comprenez... les hommes d'affaires, pour passer le temps, six heures en train, c'est long! Alors, il y en a qui sont parfois accompagnés. Les billets sont payés, tout est en règle. Ce qu'ils font dans leur chambre, ça ne nous regarde pas, alors, dans le service, on s'arrange pour se fermer les yeux.

— Arrange-toi donc pour les ouvrir! Surtout que la fille était morte rendue à destination. Si tu as des trous de mémoire, on pourrait t'accuser de complicité...

— Fâchez-vous pas! Je vous expliquais seulement la situation. D'ailleurs, la semaine dernière, je n'ai vu aucune fille. Dans ma section, en tout cas; pour ce qui est de l'autre côté, seul Boudrias pourrait vous le dire. Moi, je m'occupais d'une moitié des wagons, lui, du reste. Enfin, c'était comme ça avant qu'il parte.

— Il est parti! s'énerve Grondin en sentant son témoin lui glisser entre les doigts.

— Il a donné sa démission en fin de semaine. Paraîtrait qu'il a un autre emploi ailleurs. Bon, je peux y aller maintenant? Les passagers attendent. Comme j'ai hérité de tout le train, je suis débordé.

L'agent le laisse retourner à son travail et descend du wagon avec Victor qui n'a pas ouvert la bouche de tout l'entretien. Discret, il s'est tenu à l'écart pour ne pas nuire à l'interrogatoire. Voyant que Grondin semble débobiné de n'avoir pu parler au deuxième employé, il l'encourage.

— Nous savons au moins que le voyage de prostituées en train de nuit est possible, peut-être même fréquent. Ça nous renseigne sur la façon dont elle est arrivée ici.

— C'est un bon point. Il me reste à trouver l'adresse de Boudrias, l'interroger et, s'il a vu quelque chose, dresser la liste des passagers de cette nuit-là. Mais ce sera pour demain, il est trop tard pour en savoir davantage.

Victor jette un coup d'œil à l'horloge de la gare: minuit moins dix. Pressé par le temps, il salue le policier à la hâte et allonge le pas jusqu'à la morgue où il travaille seul, encore une fois. Le vieux Siméon souffre toujours de sa crise aiguë d'arthrite.

Dans une des petites salles, deux cercueils attendent d'être mis en terre demain matin. La fille étranglée et l'homme ramassé sur la falaise reposeront dans le même trou. L'autopsie de ce cadavre non identifié est terminée, mais aucune piste n'a été découverte pour ce cas. Victor sait qu'il ne doit pas s'en préoccuper, le docteur Sirois l'a déjà prévenu, l'autre jour, de ne pas jouer au détective. Alors, il fait des efforts pour se concentrer sur son travail.

10

Victor se réveille en sursaut. Il ignore depuis quand il dort, mais il a tout juste le temps de s'asperger la figure d'eau froide avant l'arrivée de Lusignan. Si, en entrant dans le bureau, son patron remarque ses yeux bouffis, il n'en passe aucun commentaire.

— Hier après-midi, nous avons reçu une lettre de la cour pour vous, lui signale-t-il. Un avis de convocation, pour être plus précis. Vous devez vous présenter aujourd'hui, à trois heures, au Palais de justice. C'est en rapport avec notre décapitée.

Pas très au fait des rouages judiciaires, Victor proteste:

— Mais c'est impossible. J'ai des cours à l'université que je ne peux pas manquer.

— À votre place, j'y réfléchirais à deux fois avant de refuser. C'est un ordre de la cour qui vous oblige à vous présenter pour témoigner. Si vous n'y allez pas, on ne se gênera pas pour vous arrêter. Et c'est plus qu'un cours que vous manquerez.

Comprenant la gravité de la situation, Victor glisse l'enveloppe dans la poche intérieure de son veston.

— Allez, vous pouvez partir. Et ne vous inquiétez pas trop pour votre convocation, ajoute le directeur. Ce n'est qu'une formalité.

Une formalité plutôt rébarbative et dont Victor se serait passé. Il se voit déjà en train d'expliquer à son enseignant, le docteur Kingsley, qu'il doit s'absenter car sa présence est requise en cour. Et pour quelle affaire? Justement celle du cadavre qu'on lui a confisqué. Ce brave docteur ne sautera certainement pas de joie.

Ayant laissé ses manuels et ses cahiers à la pension, il s'y rend pour les récupérer. Un soleil froid chasse timidement la brume recouvrant le fleuve et augure une journée humide. En traversant la rue Saint-Pierre, qui reprend vie grâce à l'arrivée des marchands et des courtiers, il remarque Louis Bélair descendant de sa voiture.

Doit-il le prévenir qu'il a déjà parlé au policier? Après tout, comme l'avocat le saura tôt ou tard, pourquoi ne pas jouer la carte de la franchise? Il l'aborde avant qu'il disparaisse derrière la porte de son bureau. Toujours aussi courtois, Louis l'accueille en souriant.

— Justement l'homme que je désirais rencontrer! Non pas que les nouvelles que j'ai à vous communiquer soient réjouissantes, mais je préfère ne rien laisser traîner.

En homme habitué à régler rondement les affaires urgentes, il ne permet pas à Victor de placer un mot. Au contraire, il s'approche de lui et pose la main sur l'épaule de l'étudiant. Arborant un air de déception un peu affecté, il va droit au but:

— C'est d'ailleurs ce qui m'a poussé à agir immédiatement. Hier soir, après votre visite, je me suis rendu à la gare pour cueillir des informations au sujet de la fille. Manque de chance! Rien ne correspond à votre hypothèse. J'ai parlé avec les deux employés du train qui effectuent le service aux passagers dans les wagons. Aucun d'eux n'a aperçu ne serait-ce l'ombre d'une fille! Non, j'en reviens à ma première idée. La victime est arrivée par un autre train, de jour, et perdue dans la ville, elle a dû solliciter l'aide du premier venu. Peut-être même de... Oh! je sais, ce que je vais vous révéler vous semblera terrible de la part de son avocat, mais il faut savoir envisager toutes les possibilités. Peut-être même de Robitaille en personne. Il lui a fourni un endroit au chaud pour attendre, jusqu'à ce que sa sœur vienne à sa rencontre le lendemain matin, et il a profité d'elle. Ou encore, il l'a guidée volontairement sur une mauvaise route pour la violenter. Ensuite, il n'avait qu'à la déposer sur les rails quand personne ne l'observait. Car, un point obscur subsiste dans sa défense. Que manigançait-il de si important dans les hangars? Normalement, son travail l'obligeait à rester sur le quai avec vous... Même moi, il refuse de m'éclairer avec exactitude. Loin d'apporter une preuve de son innocence, vos renseignements ne servent qu'à l'enfoncer dans la culpabilité.

Haussant les bras dans un geste d'impuissance, maître Bélair reprend le chemin de son bureau abandonnant Victor, bouche bée, sur le trottoir. En un tournemain, l'avocat vient de foutre en l'air la preuve d'innocence de Robitaille. Encore sous le choc de cette démonstration, Victor doit admettre que Bélair a raison sur plus d'un point. En effet, qu'est-ce qui pouvait pousser Robitaille à se retirer dans le hangar? Et la fille, lancée du train, ne pouvait pas tomber sous les roues.

Pourtant, considérer que l'employé de la gare soit un assassin lui répugne. Mais que penser de la lettre de Joséphine! L'heure de son arrivée y était clairement indiquée. De plus, elle déclarait voyager avec un homme riche. D'après les affirmations de Fortin, ces ententes entre prostituées et hommes d'affaires se déroulent en train de nuit. Il n'y a que dans les wagons-lits qu'on bénéficie de l'intimité nécessaire à ce genre d'ébats.

Mais elle ne pouvait pas passer complètement inaperçue. Les deux valets de chambre du train ont affirmé à Bélair ne pas l'avoir vue. Quand l'avocat les a-t-il interrogés? Avant ou après que Grondin et lui-même se soient rendus à la gare? Fortin n'en a pas soufflé mot. Il est donc probable que ce fut après, mais ça ne lui a pas laissé beaucoup de temps. Le train allait partir. Quant à l'autre employé, il a fallu qu'il le rencontre chez lui, en pleine nuit!

Se secouant, Victor admet que l'avocat n'a pas chômé à l'ouvrage pour accomplir son travail. Malgré ses pressentiments, il doit se rendre à l'évidence. Personne n'a vu Joséphine dans le train de nuit, car elle n'y est jamais montée.

Des idées contradictoires se bousculant dans sa tête, il file vers l'université.

La berline du député Bélair roule à vive allure en direction de la haute-ville. Pour Valmore, la journée s'est avérée agitée et pénible. La réunion de la Compagnie du pont de Québec a été houleuse, les actionnaires ne parvenant pas à s'entendre sur la marche à suivre. Les dernières informations sur la catastrophe et ses causes possibles avaient de quoi ébranler leur bonne conscience et les rendre anxieux quant aux rejaillissements sur leur réputation.

Le secrétaire de la compagnie leur a lu le rapport de l'ingénieur en chef, un rapport lourd de conséquences. Premièrement, presque la totalité des 88 000 tonnes de métal pour monter la structure fabriquée aux États-Unis a été expédiée de toute urgence à un entrepôt près du pont, sans que l'on tienne compte des besoins des travaux d'érection. Ce qui pressait autant pour cet envoi, c'est qu'on craignait que l'accumulation soit nocive pour les matériaux. En effet, laissées trop longtemps à l'aciérie, les pièces ont été endommagées par les gaz des hauts fourneaux et ont rouillé.

En second lieu, la fissure, dans une membrure inférieure de la culée d'ancrage près du pilier principal, a fait couler beaucoup d'encre dans les journaux depuis une semaine. Pour la population, c'est là le défaut de la cuirasse. Mais la cause réelle de cette fissure, les ingénieurs la connaissent bien, ainsi que les directeurs de la compagnie. On ne peut que s'en mordre les doigts, après coup.

Sortant de son mutisme boudeur, Valmore étale sa fureur devant l'autre occupant de la voiture, le docteur Vaillancourt:

— C'est la faute de l'Américain! Une erreur de calcul! Tout ce gâchis irréparable pour une ridicule erreur de calcul! C'est pour ça qu'on l'a payé, l'ingénieur, et assez cher, merci, pour éviter ce genre d'erreur!

Vaillancourt soupire en hochant la tête. À la suite des encouragements et des recommandations du futur beau-père de sa fille, il a acheté un certain nombre d'actions de la Quebec Bridge Co. À cause de l'accident, il va perdre de l'argent, mais il déplore surtout la mort des ouvriers. Morts qui auraient pu être évitées, grâce à plus de professionnalisme. À la lueur des révélations d'aujourd'hui, il est évident que les devis étaient basés sur de fausses considérations. Les tensions par pouce carré étaient supérieures à celles présumées, à cause d'une sous-évaluation du poids réel de toutes les composantes du pont. Tôt ou tard, la structure inférieure devait s'écrouler, incapable de supporter la charge supplémentaire.

— On engage une compagnie américaine sur sa renommée mondiale, les meilleurs ingénieurs au monde dans le domaine des ponts, et qu'est-ce que ça nous donne? Un fouillis de métal dans le fleuve! s'indigne encore Valmore. Une perte d'argent irréparable!

— Tout se répare dans ce bas monde, sauf les vies humaines, le reprend le docteur. Pour les victimes, c'est effroyable. Rien ne pourra jamais effacer ce qui s'est produit. Tandis que le pont... on le rebâtira un jour! Oui, c'est affreux, mais les erreurs d'hier serviront aux réussites de demain. Aucun pont de cette ampleur n'a jamais été réalisé auparavant. Les ingénieurs se sont basés sur des données erronées. Peut-on les blâmer de manquer d'expérience?

— On peut les blâmer de ne pas avoir procédé aux études et aux expérimentations nécessaires pour confirmer leurs calculs.

Une moue désenchantée s'imprime sur les traits du docteur qui réplique sentencieusement:

— Alors, dans ce cas, c'est nous qui porterons l'odieux de l'accident. Vous savez pertinemment que la compagnie, cherchant à économiser, ne leur a pas fourni les moyens financiers pour effectuer des analyses plus poussées. Au chapitre des économies, on peut aussi inclure celles de l'embauche d'ingénieurs plus ou moins qualifiés pour la supervision du travail.

— Est-ce notre faute si le fameux ingénieur américain, le spécialiste dans le domaine des ponts, s'est contenté de faire établir les plans par ses subordonnés? Durant tout le travail, il n'est jamais venu en personne à Québec. Les ingénieurs qui travaillaient sur place n'avaient aucune expérience des ponts.

— Évidemment, malgré leur bonne volonté et leur travail attentif, leur jugement était inefficace pour une telle surveillance. Quand la structure a commencé à donner des signes de faiblesse, il était trop tard. D'ailleurs, l'un de ces ingénieurs, un jeune d'une vingtaine d'années, a perdu la vie lors de l'accident.

— Voilà où nous mène l'économie! se décourage le député. D'un côté, la population exige un résultat exemplaire, une autre merveille du monde; et de l'autre, les contribuables nous imposent de dépenser le moins possible. Ça tient du miracle! Pour couronner le tout, le prix de l'acier a encore augmenté, doublant presque l'entente initiale. Vraiment, dans quoi est-ce que je me suis embarqué?

Le docteur ne commente pas ce dernier propos. Il connaît le député depuis suffisamment longtemps pour savoir qu'au fond Valmore affectionne les situations emberlificotées, car elles lui permettent de se mettre en évidence. Encore une fois, l'homme politique a su tirer son épingle du jeu en soutenant que la réputation professionnelle de l'ingénieur-conseil était reconnue mondialement et justifiait la confiance des fonctionnaires du gouvernement fédéral. Il a aussi souligné que lorsque le gouvernement engage un spécialiste, ce n'est pas pour entreprendre une deuxième expertise dans le dos de celui-ci. Sinon, à quoi servirait tout l'argent investi?

Les actionnaires se sont ralliés à lui, s'accrochant aux paroles rassurantes de cet homme politiquement important. Étant donné que le gouvernement du Canada est un des principaux bailleurs de fonds de cette entreprise et qu'il a approuvé les plans définitifs, tous se cachent derrière lui et s'en lavent les mains. La commission d'enquête n'aura pas la tâche facile pour incriminer qui que ce soit.

Chacun perdu dans ses pensées, les deux hommes se laissent bercer par le cahotement de la voiture. Quand elle s'arrête devant le Palais de justice, Valmore demande à son compagnon de route s'il désire l'accompagner pour assister à une séance de la commission d'enquête.

— Impossible, refuse Vaillancourt, j'ai des corrections de travaux qui ne peuvent attendre.

— Dans ce cas, restez assis. Mon chauffeur va vous reconduire à l'université.

Il lance des ordres au vieil homme qui tient les guides et la berline s'ébranle sur une dernière salutation. Tout en montant l'escalier du Palais de justice, le député songe qu'une longue semaine s'est écoulée depuis la dernière fois qu'il a couché en agréable compagnie. Il devrait peut-être laisser entendre à son fils qu'il désire récidiver. Louis lui dénichera sûrement une complaisante demoiselle.

Par la fenêtre de la voiture, le regard du docteur glisse distraitement sur les murs de pierre des maisons qui bordent les rues étroites de Québec. Son attention est soudain attirée par un couple, face à face, au détour de la basilique. Tandis qu'il se tord le cou pour mieux les observer, Vaillancourt sent une sourde colère monter en lui. Quand il descend devant la faculté, il se dirige d'un pas décidé vers les deux coupables.

Juste avant le cours, Victor montre au docteur Kingsley son avis de convocation. Le professeur examine longuement le papier officiel et hoche la tête en signe d'approbation.

— Vous pourrez prendre congé pendant la pause.

Sans plus de commentaires, il lui tourne le dos. Victor s'assoit à sa place, décontenancé. Que doit-il penser de ce silence? Kingsley est pourtant renommé pour ne pas avoir la langue dans sa poche quand il n'est pas satisfait. Ses sermons publics adressés aux mauvais étudiants et ses nombreuses prises de bec avec ses confrères sont monnaie courante.

Une lueur indéfinissable au fond des yeux, le docteur commence son intervention:

— Je désire attirer votre attention sur certaines remarques énoncées lors du cours de lundi dernier. Vous vous rappelez que vous avez eu la brève et unique chance d'observer, et pour certains même de fort près, un cadavre humain.

Quelques regards se braquent sur Victor, le seul qui ait approché le corps de la morte.

— Durant cette séance, j'avais mentionné des éléments permettant d'identifier les causes de la mort. Qui d'entre vous les a notés? Qui peut me les citer?

À part Victor, quatre mains seulement se lèvent dont celle de Napoléon Vaillancourt. Kingsley fronce les sourcils en une moue colérique.

— Vous me décevez, messieurs! Car dans ces notions réside la base de votre profession. Nous ne sommes pas de vulgaires applicateurs de pommade. Non, notre tâche consiste à analyser une pathologie pour en découvrir les causes profondes. Les moindres détails, les plus piètres indices ont une importance majeure. Comment différencier une maladie d'une autre si vous ne vous attardez pas à identifier tous les symptômes?

Victor respire mieux. Pendant un court instant, il a cru que le docteur allait s'en prendre à lui devant le reste de la classe. Ce retour en arrière n'a d'autre but que d'amorcer son enseignement d'aujourd'hui.

— Si l'on se reporte encore au cas de lundi, poursuit l'enseignant en déambulant lentement entre les rangées de pupitres, il apparaît clairement qu'il ne faut pas se fier aux apparences. En effet, à la vue de la tête décapitée du cadavre, la cause du décès semblait évidente. Néanmoins, l'étude approfondie et minutieuse d'un expert a dévoilé qu'elle est morte par strangulation. N'est-ce pas, monsieur Dubuc?

S'étant arrêté devant le jeune homme, il pianote négligemment sur le dessus de son bureau. La présence du docteur si près de lui et l'allusion contenue dans ses propos enlèvent à Victor tous ses moyens. Forcé de donner son opinion, il ne parvient qu'à bredouiller une vague approbation. Kingsley le fixe avec insistance, l'attitude rébarbative. De toute évidence, il n'a pas apprécié qu'on lui confisque son sujet de dissection. Ne pouvant mettre en cause les agissements des représentants de la justice, et impuissant à changer le cours des événements, il rage intérieurement. Il connaît l'implication de son étudiant dans l'affaire, grâce à un interrogatoire en règle du docteur Sirois.

Victor saisit pleinement que ses craintes étaient justifiées. Le docteur lui en veut; il ne lui laissera rien passer. Irait-il jusqu'à évaluer ses notes à la baisse? Reprenant le chemin de l'estrade, Kingsley proclame pour l'ensemble de la classe:

— Ce que l'on doit retenir de notre expérimentation se résume en peu de mots. Un bon diagnostic doit se baser sur une étude complète des symptômes. C'est pourquoi les notions d'anatomie sont si importantes.

Écoutant d'une oreille distraite, Victor est de plus en plus démonté. Que doit-il conclure de cette mise au point? Était-ce réellement une tentative d'intimidation ou Kingsley cherchait-il plutôt à lui signifier qu'il était au courant de son implication? Une seule certitude, le brave docteur éprouve une vive rancœur envers lui. Ne pouvant la contenir, il parsème sa leçon de sous-entendus plus ou moins inquiétants pour son étudiant.

À la pause, Victor s'apprête à s'éclipser lorsque le docteur le retient. Celui-ci attend que les autres étudiants quittent le local pour passer à l'attaque.

— Croyez-vous qu'il soit facile d'enseigner une matière aussi complexe que l'anatomie lorsque l'élément essentiel de cet enseignement disparaît? Surtout lorsqu'il y a pénurie de cette matière première! Votre démarche a rendu ma tâche plus ardue. Vous mériteriez que je...

Poussé à bout par l'étroitesse d'esprit du médecin, Victor lui coupe la parole:

— Je n'ai jamais songé un seul instant à vous causer du tort. Je croyais vraiment qu'on avait affaire à un meurtre. Un fou criminel a tué cette pauvre fille. On ne peut pas le laisser se promener librement dans les rues. Il faut qu'il soit arrêté et jugé pour son crime. Et si, pour y parvenir, votre matière première est requise, dans ce cas, je considère qu'elle est plus utile à la justice qu'à notre enseignement. Maintenant, si vous voulez m'excuser, je dois me rendre à la cour.

Pour éviter de prolonger la confrontation, il déserte la classe. Le silence inhabituel qui règne dans le corridor lui indique que, dans son emportement, il a un peu trop haussé la voix. Un étudiant qui réplique au docteur Kingsley, le plus belliqueux enseignant de la faculté, voilà de quoi étonner ses camarades.

Le cou tendu au-dessus de la rampe, ils le regardent disparaître derrière la porte d'entrée avant de s'animer dans un bavardage excessif. Victor s'en moque. Ils peuvent débiter ce qui leur plaît dans son dos, lui, il a d'autres chats à fouetter. Et Kingsley a couru après! Qu'avait-il donc à le harceler de telle sorte? D'accord, il a donné un coup de pouce au destin pour l'enquête, mais il s'agit tout de même d'un meurtre. Et voilà que cet enseignant, pompeux et vaniteux, lui reproche de soutenir les intérêts de la victime. Ce n'est pas en fermant les yeux que la vérité sera connue.

D'un pas rageur, il se rend au Palais de justice. Il ne prête aucune attention au froid vif qui lui mord les joues. Son sang bout dans ses veines, le préservant de cette température d'hiver trop précoce.

Son avis de convocation à la main, il cherche la salle où l'enquête du coroner se déroule.

— D'habitude, ça se passe au deuxième, la dernière porte au fond à droite, lui indique le policier à l'entrée. Mais inutile de monter, il n'y a plus personne là-haut!

— Personne! Pourtant, je suis à l'heure.

— L'heure et la date sont peut-être exactes, mais il n'y a personne. Le juge a décidé d'ajourner, pour complément d'enquête.

— C'est maître Bélair qui a exigé plus de temps?

— Non, la requête a été déposée par un policier, Grondin. Vous connaissez?

Oui, Victor le connaît. Quel élément nouveau espère-t-il découvrir? Le deuxième employé du train, Boudrias, aurait-il menti à Bélair et avoué un point important à l'agent de police? Ou Robitaille a-t-il enfin dévoilé ce qu'il fabriquait réellement dans le hangar? À moins que Lolita ne lui ait révélé un détail qui changerait le déroulement de l'enquête? Victor se perd en conjectures. Désireux de connaître le fin mot de l'histoire, il se hâte vers la rue Saint-Paul.

Sa démarche s'avère vaine. L'agent ne commence son travail qu'à quatre heures. L'officier de garde refuse de lui indiquer l'adresse de son camarade en invoquant les règlements rigoureux du corps policier. Il reste moins d'une heure à attendre avant l'arrivée de Grondin; Victor préfère la passer à l'extérieur des murs du poste.

Il décide d'aller d'abord porter ses affaires à la morgue. Lusignan et Sirois y travaillent déjà, penchés sur un nouveau dossier. Interrompant leur conversation, le directeur signale à Victor que, pour une fois, sa nuit de congé ne sera pas celle de dimanche, mais de samedi. Cette dérogation aux habitudes est due à l'absence de Siméon. Il souffre encore trop pour travailler avant plusieurs jours et nul ne peut le remplacer dimanche, tandis que samedi Lusignan en personne prendra sa place. Victor accepte de bonne grâce. Pour autant qu'il bénéficie d'une nuit de congé par semaine, il n'a pas à se plaindre.

Retournant à l'extérieur, il flâne dans les rues étroites. Ses pas le conduisent dans la haute-ville, devant la basilique Notre-Dame. En ce frisquet vendredi après-midi, les passants se pressent dans les divers magasins, n'en sortant que pour pénétrer rapidement dans d'autres boutiques. La plupart d'entre eux ont été pris au dépourvu par le changement de température depuis ce matin. Un écart suffisant pour regretter un foulard. Victor relève le col de son veston et plonge les mains dans ses poches.

Il ressasse inlassablement les différentes possibilités qui ont pu provoquer l'ajournement de l'enquête. Tout à ses pensées, il ne l'aperçoit qu'au dernier moment. Entortillée dans un manteau trop léger pour la protéger adéquatement du froid, Élise grelotte en tirant les pans contre elle.

— Bonjour, monsieur Dubuc.

Sa voix est douce, presque timide. Touchant sa casquette du bout des doigts, il s'apprête à poursuivre sa route sans s'arrêter. De la savoir fiancée à Louis Bélair le pousse à l'éviter.

Élise devine la retenue de Victor, mais elle n'en laisse rien paraître et l'aborde de front. Cette façon d'agir est conforme à tout ce qu'elle entreprend. Elle n'aime ni les détours ni les faux-fuyants.

— Je suis désolée pour hier. J'espère que vous n'en voulez pas trop à Léonie. Elle n'a pas cherché à se montrer désagréable, seulement...

— Je ne vois pas ce qui peut vous désoler, l'interrompt-il pour l'empêcher d'approfondir le sujet. J'ai trouvé votre amie très sympathique.

— Vraiment? Vous n'êtes pas fâché? Vous êtes parti si brusquement que je croyais que...

Elle pose sur lui des yeux inquiets. De profonds yeux noirs comme ceux des poupées au visage de porcelaine. Des yeux miroirs où s'impriment les sentiments les plus naïfs, sans arrière-pensée. Le cœur de Victor se débat comme un diable dans l'eau bénite. Pourquoi joue-t-elle ainsi avec lui? Est-elle cruelle ou innocente pour ne pas deviner le ravage qu'elle produit en lui?

En aucun cas, il ne peut s'interposer entre elle et l'avocat. Alors, à quoi bon entretenir une relation ambiguë, vouée à provoquer des remous destructeurs. Retenant son envie de la fuir précipitamment, sans plus d'explications, il force sa voix à adopter un ton naturel:

— Absolument pas, mademoiselle. Soyez-en convaincue.

— Alors, dans ce cas, je suis heureuse de conserver votre amitié.

Tendant une main tremblante, elle le fixe toujours de ses yeux emplis de doutes. S'estimant chanceux de mettre un terme à cette conversation à si bon compte, il lui serre la main. Après tout, une telle promesse d'amitié n'engage à rien. S'il évite soigneusement les lieux qu'elle fréquente jusqu'à son mariage, il n'aura plus à s'en préoccuper par la suite puisque son nouveau ménage l'absorbera pleinement.

Pourtant le contact de la paume d'Élise réveille son penchant pour elle. Toute menue dans la sienne, sa main glacée prouve à quel point elle a mal évalué la température.

— Mais vous êtes gelée! Vous ne pouvez pas rester ainsi. Il faut vous réchauffer.

Sans lâcher sa main, il s'empare de la seconde et les presse l'une contre l'autre entre les siennes. Pour accélérer son action, il va même jusqu'à souffler dessus. Elle résiste à peine, appréciant la vague de chaleur qui envahit peu à peu le bout de ses doigts. Sa longue marche de chez elle à la basilique l'a complètement transie. Repoussant obstinément l'idée qu'il puisse y avoir autre chose dans le comportement de Victor que des manières courtoises, elle accepte qu'il garde ses mains plus longtemps que nécessaire. Lorsqu'elle les retire avec douceur et un peu de regret, ce n'est que parce que le regard amusé d'un passant la rappelle à l'ordre.

— Je me sens mieux, merci. J'ai déjà trop abusé de votre temps et de vos bontés. Au revoir.

Pour cacher son malaise grandissant, elle coupe court à leur rencontre et monte rapidement les marches de la basilique. Il la suit des yeux jusqu'à ce que la porte se referme derrière elle. Il réprime un frisson. Il ne sait pas exactement si c'est le froid qui parvient enfin à l'atteindre ou si c'est l'émotion qui l'agite de l'avoir sentie si près et si loin à la fois. Jamais auparavant, il ne l'a touchée aussi longtemps. Mais une poignée de main, ce n'est rien, pas de quoi s'émerveiller! Alors pourquoi ce sentiment de culpabilité et autant de déception?

Évitant de s'attarder davantage sur ses états d'âme, il bifurque résolument le cours de ses pensées et revient sur un terrain moins hasardeux, la résolution du meurtre de Joséphine. Joignant le geste à ses réflexions, il s'engage sur le chemin du poste de police où Grondin ne devrait pas tarder à se pointer.

Il entend distinctement les pas qui résonnent agressivement sur le trottoir, derrière lui, mais n'y porte aucune attention. Il est cependant forcé de pivoter quand une main s'abat rudement sur son épaule. D'abord irrité par cette façon cavalière d'être accosté, Victor s'étonne ensuite de reconnaître le docteur Vaillancourt avant de s'alarmer de l'air furibond de celui-ci.

— Comment osez-vous? gronde l'enseignant d'une voix sourde. Quand votre camarade m'a rapporté ce dont il avait été témoin, j'ai refusé de le croire. Refusé, car j'ai pour habitude de ne pas prêter l'oreille aux racontars d'étudiants jaloux. Refusé, car je ne peux soupçonner ma fille de la moindre duperie. Malheureusement, ce que j'ai vu, il y a un moment, me confond. N'avez-vous aucune conscience pour l'entraîner à agir de la sorte en l'absence de son fiancé?

Affolé par l'ampleur de la méprise du père d'Élise, Victor se défend avec un peu trop d'excès.

— Je n'ai jamais eu aucune intention malveillante. Je n'ai songé qu'à être serviable. Si mon comportement portait à confusion, je le regrette. Je n'avais rien prémédité d'offusquant.

— Je n'en crois rien, se récrie Vaillancourt nullement convaincu. Vous sembliez, au contraire, prendre un certain plaisir à baiser les mains de ma fille.

— Je ne l'embrassais pas, je soufflais sur ses doigts pour les réchauffer. Elle avait tout bonnement les mains gelées et...

— À d'autres, monsieur! Pensez-vous me leurrer avec cette ridicule excuse? Si vous vous approchez encore une fois d'elle, je m'arrangerai pour que vous soyez renvoyé de la faculté. Ma fille est vertueuse et promise à un homme que je respecte. Montrez donc un peu de considération pour ces fiancés et éloignez-vous d'elle! Sinon, fiez-vous à moi, je ne vous oublierai pas.

Sur ces paroles menaçantes, il rebrousse brusquement chemin. Victor, qui ne peut accepter ce malentendu, le talonne pour le ramener à la raison. Le docteur virevolte et appuie l'extrémité métallique de sa canne sur la poitrine de l'obstiné jeune homme dans le but avoué de le maintenir à distance.

— Gardez-vous, monsieur, de me pousser à bout. Nous le regretterions tous les deux.

— Mais je m'évertue à vous expliquer qu'il y a erreur. Les quelques rencontres entre mademoiselle Élise et moi ont toujours été fortuites. Aucune d'elles n'a été préméditée.

— Oh, non! Vous vous plaisez à concevoir autour de ma fille l'illusion du hasard. Elle est trop innocente pour se figurer qu'une telle fourberie puisse exister.

Victor esquisse un geste pour se disculper et rétablir la vérité, mais le docteur augmente la pression de sa canne et rage:

— N'ajoutez plus rien ou je ne réponds plus de moi.

Victor recule, incommodé par la pointe de cette arme improvisée. Comment convaincre le professeur de la probité de sa conduite, s'il s'obstine à ne pas l'écouter? Accablé par cette accusation injustifiée et conscient des problèmes que cela engendrera, Victor se sent paralysé. L'espace d'un instant, plus aucun élément vital ne fonctionne.

Rongé par l'amertume, il laisse Vaillancourt s'éloigner. Tout allait trop bien, ça ne pouvait durer longtemps! Maintenant, avec deux enseignants opposés à lui et les mauvaises langues qui ne le manqueront pas, ce ne sera guère facile. La tête basse, pour mieux cacher son désenchantement, il tourne le dos à l'orageux père faussement bafoué et se bute à un homme qui l'observait à son insu depuis un moment.

— Pourquoi tout cet émoi, monsieur Dubuc?

Relevant les yeux, Victor devine que le docteur Sirois a assisté à toute la scène. Superbement campé sur sa canne, accessoire qu'il juge indispensable aux hommes civilisés, le médecin légiste le considère avec hauteur. Victor croit même lire de la désapprobation dans son visage. Déjà passablement énervé par sa dispute avec Vaillancourt, l'étudiant perd tout savoir-vivre et, d'un ton rogue, il marmonne:

— Oh! ça va, j'ai eu mon lot pour aujourd'hui. Désolé d'être dans vos jambes!

Il effectue un crochet pour le contourner. Sirois, nullement impressionné, lui jette au passage:

— En voilà des manières de se comporter avec les gens!

Victor est harassé par les événements de l'après-midi; il hausse les épaules et continue sa route de quelques pas avant de vérifier par un coup d'œil derrière lui la réaction du médecin. Sirois se tient encore au même endroit, le corps raide, le regard rivé sur lui. Victor s'arrête et rage intérieurement. Il ne pourra pas y échapper. Alors, tant pis, autant affronter tout de suite le numéro trois sur la liste de ses adversaires! Revenant sur ses pas, il se plante devant Sirois et l'aborde sur un ton condescendant:

— D'accord, je me suis montré impoli, fruste, malotru et tout ce que vous voudrez. Je m'en excuse. Y a-t-il autre chose, docteur?

Sirois ne le lâche pas des yeux comme s'il fouillait son âme. Son attitude se teinte de bienveillance et il se montre plus sympathique:

— Alors, qu'est-ce qui ne va pas? Quelle bêtise impardonnable avez-vous pu commettre pour que mon confrère passe à un poil de vous fracasser le crâne?

— Aucune! Ce n'est pas ma faute si...

Incapable d'exprimer avec cohérence et rigueur le ressentiment qui l'habite, Victor se tait, bouche ouverte pour aspirer l'air à coups hâtifs. Avant qu'il réagisse et reprenne le dessus, Sirois l'entraîne dans un café au coin de Buade. Victor sent confusément qu'il ne devrait pas accepter l'invitation et surtout ne pas se laisser aller à des confidences. Mais le docteur balaie ses hésitations par ses manières amicales en le poussant vers le bar et commande:

— Deux Pabst pour nous réchauffer! Ça vous aidera à retrouver vos esprits, justifie-t-il à l'intention de Victor quand le serveur dépose les bières sur le comptoir. À votre santé!

Victor avait tout imaginé, sauf se retrouver juché sur un tabouret à trinquer avec le docteur Sirois. Le médecin devrait pourtant lui tenir rigueur pour la manière dont il lui a collé sur le nez son erreur à propos du cadavre de la fille. Il avale deux gorgées avant de demander:

— Vous ne m'en voulez plus?

Sirois, les yeux pétillants de malice, essuie sa moustache du bout des doigts. La question l'amuse.

— Je ne suis pas rancunier. Il est vrai que je n'ai pas apprécié qu'un jeune insolent me montre du doigt ma bévue. Mais que voulez-vous! Ce petit malin avait raison. La fille a été assassinée. Et pour moi, c'est là le plus important. Sans votre intervention, il n'y aurait pas d'enquête. Et maintenant, que vous voilà rassuré sur mon humeur à votre égard, racontez-moi votre exploit. Car parvenir à jeter hors de ses gonds ce brave docteur Vaillancourt, lui toujours si flegmatique, voilà toute une prouesse. Auriez-vous lorgné de trop près la charmante Élise?

Désarçonné par la tirade de Sirois, Victor oscille entre se réjouir de son manque de rancune, baisser le nez sous l'accusation d'avoir mécontenté Vaillancourt ou s'indigner pour la manière cavalière dont il parle d'Élise. D'ailleurs, que sait-il réellement de ses relations avec la fille du docteur?

— Je ne vois pas comment une telle idée a pu vous effleurer.

Sirois s'esclaffe:

— Voyons, les nouvelles circulent vite dans notre merveilleuse ville. Et même, elles courent quand elles sont colportées par des étudiants. J'ai aussi entendu dire qu'un d'entre eux a goûté à votre médecine...

— Il l'avait cherché. Je n'éprouve aucun remords à son sujet!

— Et qu'éprouvez-vous pour mademoiselle Vaillancourt?

Victor pose vivement son bock sur le comptoir et riposte, exaspéré:

— Rien du tout! Je l'ai toujours rencontrée par hasard et, chaque fois, j'ai simplement essayé de me montrer poli. Sans plus!

— C'est déjà un bon départ.

— Vous croyez comme tous les autres que j'ai des vues sur elle! Mais c'est faux. D'ailleurs... elle est presque mariée. Et ce n'est pas moi qui vais changer ça.

Sirois, sourire en coin, laisse parler Victor qui s'énerve de plus en plus. Son étudiant se défend trop et mal. Élise ne l'indiffère pas, c'est évident.

— Si rien de grave ne s'est produit, cessez de vous inquiéter. Vaillancourt changera d'opinion sur vous.

— Ça m'étonnerait. Il a promis de me renvoyer de l'université si je parlais encore à sa fille. Mais je ne le fais pas exprès de la rencontrer! Elle se promène régulièrement dans le quartier de l'université. Je ne peux pas changer de trottoir chaque fois qu'elle passe. Je suis d'accord pour essayer de l'éviter, mais...

— Calmez-vous! Vous n'arriverez à rien ainsi. Je suis persuadé que le docteur Vaillancourt vous a parlé aussi durement sous l'effet de la colère. Il reviendra à de meilleurs sentiments lorsque la vapeur aura baissé.

— J'aimerais vous croire.

— Vaillancourt est un homme intègre. Avec du recul, il saura se montrer équitable.

— Mais il s'agit de sa fille. À l'entendre, son honneur de père est en jeu. Comme si j'avais cherché à l'offusquer personnellement.

— Ne rendez pas les armes trop vite. Vaillancourt n'est pas votre seul enseignant. Vous pourrez toujours bénéficier de l'appui des autres.

— Justement! J'ai aussi réussi à me mettre à dos le docteur Kingsley. En ce moment, il doit rédiger un rapport très étoffé contre moi.

Sirois retrouve son sourire bon enfant.

— Alors, vous aussi! Tout le monde connaît son sale caractère. Ne vous tracassez surtout pas pour lui! Il a déposé une bonne demi-douzaine de rapports contre moi – oui, il m'a enseigné – et ça ne m'a pas empêché d'obtenir mon diplôme avec distinction. Et puis, il est hanté par l'idée de ne pas trouver de cadavres; son matériel éducatif, comme il dit toujours. Tous les ans, il remet ça. C'est une véritable obsession, chez lui. Allez, ne vous mettez pas martel en tête. Tout finira par se régler.

Avant de quitter le bar, Sirois lui prodigue encore quelques paroles encourageantes. Malgré cela, Victor entrevoit son avenir avec appréhension. À l'université, il lui faudra maintenant marcher sur des œufs autant devant Vaillancourt que Kingsley. L'évocation de ce professeur lui rappelle qu'il a assez perdu de temps avec ses affaires personnelles. Désirant toujours rencontrer Grondin, il se rend au poste de police où il arrive trop tard. Le jeune agent est déjà parti pour sa ronde quotidienne. Impossible de le rejoindre.

Il allonge alors le pas jusqu'à la pension. Comme tous les jours, à cette heure-là, les filles sont attablées dans la cuisine. La patronne, qui déteste pourtant retarder son repas, ne s'est pas jointe à elles. Absorbée par sa conversation avec un client important derrière la porte du boudoir, elle ne remarque pas l'arrivée de son pensionnaire.

Il passe tout droit devant la cuisine et longe le couloir qui mène à l'escalier. À la hauteur du salon, il reconnaît une voix. Il ralentit et tend l'oreille. Il ne se trompe pas, il s'agit de Louis Bélair. Pour quelle raison visite-t-il la tenancière d'un bordel? À moins que... et s'il venait pour lui? Si les potins courent vite dans la ville, il doit les avoir entendus. Serait-il du genre fiancé jaloux?

Il s'arrête avant de poser le pied sur la première marche et écoute attentivement. Les voix lui parviennent déformées, à peine un gazouillis. Il recule en retenant son souffle et en se gardant de faire craquer le parquet. Aucun doute, Bélair et la propriétaire ont prononcé son nom. Le ton semble calme, mais il ne faut pas s'y fier. À l'autre bout du corridor, le visage de Rose-Aimée apparaît dans l'embrasure de la porte de la cuisine. Elle lance un clin d'œil coquin à son voisin pris en flagrant délit d'indiscrétion.

Gêné d'être ainsi découvert, Victor abandonne sa surveillance et emprunte l'escalier avec précaution pour passer inaperçu. Lorsqu'il tourne le premier palier, madame O'Brien appelle rudement la jeune prostituée. Se penchant sur la rampe, Victor épie encore. Il semble que Rose-Aimée ait été réquisitionnée pour satisfaire Louis Bélair. Il entend des pas en direction de la sortie et un claquement de porte.

Bélair est parti sans chercher à le voir. Alors, pourquoi l'avoir nommé devant madame O'Brien? Peut-être croient-ils qu'il n'est pas là. Fixant Rose-Aimée qui monte au premier, il se rend compte qu'elle a perdu son charmant sourire. Son épaisse chevelure blonde encadre des yeux perdus dans le vague et une bouche boudeuse. Elle tripote une bande de carton qui disparaît dans les plis de sa robe au moment où elle aperçoit son voisin. Elle se force pour avoir l'air joyeuse.

— Bonjour, M'sieur Victor. Vous allez bien?

— Pas si mal. Et vous?

Elle pouffe d'un rire qui sonne faux:

— Oh oui! Je vais m'occuper d'un bon client, un monsieur riche qui va me gâter.

Sans plus d'explications, elle se précipite vers sa chambre. Avant de s'y éclipser, elle tourne la tête vers lui.

— Je vous trouve gentil, très gentil.

Ce simple compliment le désarçonne. Il reste là, sans réaction. Était-ce une invitation? Pas nécessairement. Elle ne se serait pas hâtée de fuir dans sa chambre. En pénétrant dans la sienne, Victor est choqué par le véritable motif de la présence de l'avocat dans ces lieux. Pour un homme nageant dans le bonheur d'épouser une aussi jolie fiancée, Bélair se permet un écart de conduite qui ferait rougir de honte Élise. Et enrager son futur beau-père! Il n'en demeure pas moins qu'il a entendu prononcer son nom. L'avocat mènerait-il une enquête sur lui? Que complote-t-il? Croit-il vraiment que l'étudiant puisse être un rival sérieux?

«Ce que je peux être bête, songe-t-il en se déshabillant. Il ne peut pas être au courant. Comment saurait-il déjà que j'ai eu un accrochage avec son beau-père au sujet de sa fiancée? De plus, Élise ne lui racontera sûrement pas qu'elle m'a parlé et je vois mal le docteur lui rapporter notre dispute. Non, il venait me voir pour le meurtre de la gare.»

Alors, c'est qu'il y a de nouveaux développements dans l'affaire. Est-ce que Boudrias aurait été témoin de quelque chose sur le train? À moins que Robitaille n'ait enfin dévoilé ce qu'il fabriquait dans le hangar. Ça expliquerait l'ajournement. Victor ne pouvant se permettre de sauter des heures de sommeil, il remet à plus tard une visite à l'avocat. Il tente de dormir malgré toutes les questions qui le troublent. L'une d'elles revient inlassablement. Pourquoi a-t-on tué la fille? D'après la lettre, elle était consentante à faire ce voyage et à satisfaire son client. Celui-ci n'avait qu'à la payer et il n'entendait plus jamais parler d'elle. Et pauvre comme elle était, sa mort ne bénéficiait à personne. À personne, sauf au docteur Kingsley qui était fou de joie d'obtenir de quoi travailler.

Une idée horrible le force à s'asseoir brusquement. Il se rappelle tout à coup que son professeur d'anatomie ne s'est présenté à l'université que le jeudi matin. Le mercredi, Victor s'en souvient maintenant, lors de la cérémonie d'ouverture, il était absent. Le recteur a même spécifié qu'il se trouvait à Montréal, pour donner une conférence. Comment en est-il revenu? En train? Celui de nuit? Kingsley est agressif, vindicatif et il exige à tout prix un cadavre pour ses cours. Mais est-il fou? Fou au point d'assassiner pour obtenir un cadavre? Victor voudrait pouvoir rejeter cette pensée insensée.

11

Victor, son premier salaire en poche, rentre chez lui, se promettant de profiter pleinement de sa fin de semaine de congé. Il est libre d'agir à sa guise.

Il découvre au premier étage les quatre filles tenant un conciliabule au-dessus d'un journal étalé sur le sol. Rose-Aimée lui envoie un charmant salut de la main. Angélique dodeline de la tête tandis que Sabrina ânonne des syllabes en suivant le texte de son doigt. Lolita, impatiente, attire Victor d'un geste.

— On parle de ma sœur! On montre un portrait de celui qui est accusé.

— Mais ça a comme pas de sens, ils doivent se tromper, s'énerve Sabrina. Venez lire, avec vous ça va être mieux.

Il se prête de bonne grâce à son souhait. S'accroupissant auprès de Rose-Aimée, il glisse un long regard sur l'article et sur la photographie de Robitaille, menottes aux poings, les yeux hagards, entouré de deux policiers.

— C'est effectivement l'accusé, commente-t-il, mais il n'a pas commis le crime.

— Je le savais! claironne Sabrina.

— Comment vous pouvez être certain que c'est pas lui? riposte Lolita.

Elle veut tellement que Joséphine soit vengée qu'elle n'accepte pas la possibilité que les policiers détiennent un mauvais coupable. Victor lui rappelle les événements:

— Joséphine a été tuée dans le train avant d'arriver à Québec, enfin si on se fie à la lettre qu'elle vous a envoyée. Cet homme, Robitaille, travaille à la gare. Il n'a jamais été en contact avec votre sœur. Il n'a pas pu la tuer.

— Alors pourquoi qu'on l'accuse? se fâche Sabrina.

— À cause de certains détails qui restent incompréhensibles. D'abord, la présence de Joséphine à bord du train n'est pas prouvée. Je sais, je sais, elle a écrit qu'elle viendrait ce matin-là mais, jusqu'à présent, les policiers n'ont trouvé aucun témoin pour le confirmer.

— Mais elle était morte sur les tracks à Québec, objecte Rose-Aimée. Elle a pas marché de Montréal jusque-là!

— C'est ce que je crois aussi. Mais tant qu'il n'y aura pas de témoins... Ce qui joue le plus en la défaveur de Robitaille, c'est qu'il refuse de justifier sa présence dans les hangars juste avant l'entrée du train en gare. Une demi-heure avant, il est allé s'enfermer dans un des hangars, au lieu de travailler. Il s'obstine à se taire. Les policiers concluent qu'il a quelque chose à cacher.

— Si c'est rien que ça, je vais leur apprendre, moi! s'exclame Sabrina en se redressant à moitié. Il était avec moi, et c'qui faisait, c'était correct!

Ses yeux trahissent la désapprobation et sa bouche tremble de colère.

— C'était même très correct, surenchérit Rose-Aimée en appuyant sur les mots.

Lolita et Angélique, comprenant le sous-entendu, s'amusent de l'air étonné de Victor et du haussement d'épaules dédaigneux de Sabrina. Celle-ci, pour couper court aux railleries de ses compagnes, en rajoute:

— Oui, madame, plus que correct! Quand on a un mâle comme ça sous la main, une fille s'arrange pour pas manquer son rendez-vous...

— Et faire durer le plaisir, la taquine encore Rose-Aimée.

— C'est vrai que bâti de même il doit donner du bon service, ricane Angélique.

Victor tombe des nues. Il comprend enfin la raison du départ précipité de Robitaille en direction des hangars: c'était pour s'y abandonner aux bons soins de la ravageuse Sabrina. La crinière rousse en bataille, elle le défie:

— Pensez pas qu'on lève la patte juste pour des sous. Des fois, c'est gratis. Quand le gars en vaut la peine!

— Je vous crois, mais j'étais si loin de m'attendre à ça! Alors, il était avec vous. Vous êtes certaine que c'était jeudi matin, le 18?

— Ce jeudi-là ou un autre, aucune différence. Toutes les semaines, il m'invite à aller le rejoindre au petit matin. Sauf avant-hier! Mais, il était en prison, le pauvre... Moi qui pensais qu'il était plus intéressé!

Victor interprète mieux le silence de Robitaille. À même ses heures de travail, il se paie un divertissement qui ferait frémir son patron immédiat, Jolicœur. Si celui-ci était mis au courant, il risquerait fort d'être congédié. D'autant que ses ébats sont partagés par une prostituée. De plus, s'il avoue son emploi du temps, il place Sabrina dans de mauvais draps. Les policiers ne sont pas tendres avec cette clientèle particulière de leurs cellules. Robitaille ne veut sûrement pas attirer leur attention sur sa compagne. Se rend-il compte qu'il va écoper pour un autre? Le seul moyen de le sortir de là sans trop de dégâts est de prouver la présence de Joséphine dans le train de nuit.

Il recommande à Sabrina de ne pas se rendre au poste de police, du moins pas maintenant. Cette solution ne sera envisagée qu'en dernier recours, si la démarche qu'il entend faire n'aboutit à rien.

Décidé à interroger lui-même le deuxième employé du train, il s'achemine vers le bureau du Canadien Pacifique. Il est surpris de la rapidité avec laquelle la secrétaire lui donne l'adresse de Boudrias. Ce renseignement n'est plus sous le sceau de la confidentialité à ses yeux, puisque l'homme ne travaille plus pour eux. D'ailleurs, Victor n'est pas le premier à s'enquérir de son lieu de résidence. Bavarde, la femme lui divulgue que déjà deux personnes s'intéressent à Boudrias. Un policier s'est informé hier et un monsieur, au début de la semaine.

L'adresse notée sur un bout de papier, il la remercie et sort songeur. Que Grondin soit venu ici vendredi, soit, mais pour l'autre homme elle doit confondre les dates. Pourtant, il l'a fait répéter et elle semblait formelle. Elle hésitait d'abord entre lundi ou mardi, puis elle s'est rappelée avec précision. Lundi, avant que Boudrias prévienne qu'il quittait son poste, quelqu'un a téléphoné pour la questionner à ce sujet. Si l'on se fie à la mémoire de la réceptionniste, cette personne ne peut pas être l'avocat puisque celui-ci ne s'intéresse à Boudrias que depuis jeudi soir.

Alors, quelqu'un d'autre s'évertue à entrer en relation avec l'employé du train. Qui? Et surtout pourquoi? L'assassin? Possible... Dans ce cas, Boudrias est en danger. Cela éclaircirait probablement son départ de la compagnie ferroviaire. Il espère ainsi éviter un affrontement avec le meurtrier ou il a cédé à ses menaces et préfère s'évanouir dans le décor. Et Bélair, dans tout cela? S'il n'est pas venu ici et qu'il n'a pas téléphoné, comment peut-il savoir où habite Boudrias? Peut-être ne lui a-t-il jamais parlé? Alors, il aurait menti pour éloigner Victor de l'affaire... Peut-être pas, les employés de la gare se connaissent tous, l'un d'eux a pu l'informer de l'adresse de Boudrias. Un généreux pourboire peut aider à délier les langues.

Dans le hall du Canadien Pacifique, Victor croise Napoléon Vaillancourt qui le salue en souriant. Réprimant son premier mouvement de recul, Victor se rassure. Sirois doit être dans le vrai: sa colère dissipée, le docteur Vaillancourt n'a pu que se calmer et enfin envisager la réalité telle qu'elle est. Il n'a donc rien dévoilé à son fils de son esclandre d'hier. Napoléon lui présente l'homme qui l'accompagne:

— Mon frère, Eugène. Victor Dubuc, un camarade de classe.

Eugène se rappelle avoir rencontré l'étudiant en face du *Clairon d'Or*; il se souvient aussi des confidences de sa sœur à son égard. Il l'observe avec attention, cherchant à découvrir ce qui attire Élise. Au moment où il retire sa main de sa poche, un objet brillant s'échappe et roule par terre. Victor et Eugène se penchent pour le rattraper tandis que Napoléon remarque:

— Encore! Quand vas-tu te décider à la faire ajuster par un bijoutier?

Plus rapide, Victor ramasse une bague en or et la remet à Eugène qui bougonne sur un ton ennuyé:

— Jamais le temps! À croire que les fichues bagues de finissants ne se font qu'en une seule taille. Un jour, je finirai par la perdre pour de bon.

— Et on refusera de te laisser plaider en cour, ironise Napoléon.

— Vous êtes avocat? présume Victor pour entretenir la conversation.

— Oui, comme Louis Bélair que vous connaissez, je crois.

Embarrassé par ce rappel du fiancé d'Élise, Victor bafouille qu'il a été heureux de lui être présenté et invente une excuse pour battre en retraite. Eugène garde les yeux fixés sur lui aussi longtemps qu'il se situe dans son champ de vision. Il se tourne ensuite vers son frère:

— Bon, si on les achetait, ces fameux billets. Notre cher père est déjà d'une humeur massacrante, inutile de l'impatienter davantage.

Se sentant lésée dans ses droits et sa liberté, Élise arpente sa chambre, allant d'un mur à l'autre avec des gestes colériques. Léonie, à demi allongée sur le lit de sa copine, l'écoute avec sympathie. Il y a une heure déjà que le verdict est tombé, accablant et irréversible. Depuis hier soir, toute la famille pressentait que quelque chose ne tournait pas rond.

Quand le docteur Vaillancourt s'enferme dans son cabinet privé en revenant de son travail, c'est signe que la journée a été mauvaise. Impossible pour Adèle, son épouse, de lui changer les idées et encore moins de l'extirper de son bureau. Il a refusé catégoriquement de partager le repas familial et n'est monté se coucher que très tard. Ce matin, après avoir daigné toucher au déjeuner, il a ordonné à ses fils d'acheter deux billets, un aller simple et un aller-retour pour la Pérade où habite une de ses sœurs. Refusant de s'étendre sur le sujet, il a attendu que Napoléon et Eugène soient partis pour s'entretenir avec Élise.

Il a annoncé à sa fille qu'elle irait vivre avec sa marraine jusqu'à son mariage. Dans son propre intérêt, il valait mieux l'éloigner pour éviter un scandale. L'attitude désinvolte d'Élise envers un certain étudiant en Médecine le portait à croire qu'elle était incapable de se prémunir adéquatement contre les prétentions odieuses de cet individu. Prié par sa femme de fournir plus de détails, il a raconté ce dont il avait été témoin la veille. Élise a eu beau protester, défendre les intentions somme toute louables de Victor, elle n'a réussi qu'à aggraver son cas. Où avait-elle donc la tête pour encourager des rencontres avec un étranger? Car c'est ce qu'il est, étranger à leur famille, étranger à leur classe sociale!

Portant un coup final, le docteur a chassé sa fille dans sa chambre lui enjoignant de préparer ses valises pour son départ et lui interdisant de sortir. Heureusement, il n'a pas cru bon condamner sa porte au point d'empêcher sa meilleure amie de la visiter.

Après s'être confiée à Léonie, Élise rage comme un lion en cage. L'injustice l'irrite plus que la punition qu'elle devra subir. L'idée de revoir sa marraine ne lui déplaît pas, c'est d'y être forcée en guise de réprimande qui lui paraît horrible. De plus, si son père songe à la priver de sa liberté, il a aussi dû imaginer une peine plus dure encore pour Victor.

— Il n'a jamais abusé de moi, Léonie! répète-t-elle pour la centième fois. Non, à chaque occasion, il s'est montré poli, prévenant et n'a jamais profité de la situation. Il sait garder sa place, contrairement à d'autres qui sont toujours à vous lancer des compliments emberlificotés, des œillades déplacées. Leurs belles phrases pleines d'insinuations déplaisantes m'horripilent. Tandis que lui, il est franc et il ne me parle pas comme à une imbécile. Oh! Léonie, se lamente-t-elle en se laissant tomber près de son amie. Qu'est-ce que je peux faire?

— Rien du tout! Tu ne peux rien changer. D'ailleurs, plus tu prendras sa défense, plus il sera suspect aux yeux de ton père. Alors, cesse d'en parler et tu lui rendras service.

— Comme si la conspiration du silence arrangeait les choses!

— En tout cas, elle ne nuira pas. Réfléchis! Ton père n'a qu'une idée en tête, t'éloigner de Québec pour que tu oublies ce monsieur Dubuc. Si tu t'obstines à le lui rappeler, il est en droit de croire qu'il t'intéresse un peu trop. Accepte ton départ! Tu t'entends à merveille avec ta tante. Tu trouveras sûrement à t'occuper chez elle. Tiens! Ton trousseau, par exemple, il est loin d'être terminé, paresseuse...

Élise penche la tête. Évidemment, Léonie a raison. Selon ses parents, elle n'a pas à s'inquiéter du sort de l'étudiant. Il leur semble anormal qu'elle se tourmente autant pour lui. Si elle accepte de se montrer raisonnable, le docteur mettra peut-être sa vengeance en sourdine. Lentement, l'idée de se soumettre se faufile dans son esprit malgré le pincement au cœur qui la tiraille. Aidée de Léonie, elle trie vêtements et articles de toilette qu'elle empile dans les malles béantes qui déborderont bientôt de dentelles et de froufrous soyeux.

Léonie ne se doute pas au prix de quel effort Élise parvient à s'arracher à cette ville. Elle n'y reviendra que pour s'unir au mari placé sur son chemin grâce à l'entremise de ses parents. Elle aime bien Louis et s'est toujours réjouie de l'épouser. Elle n'aurait pu mieux choisir elle-même. Mais peut-on véritablement parler de choix quand on ne connaît rien d'autre?

Affectant un air détendu, Élise joue la coquette. Léonie pourra affirmer au docteur Vaillancourt, qui ne manquera pas de l'interroger avant son départ, que sa fille se conforme volontiers à son désir.

Pendant ce temps, au rez-de-chaussée, ses frères sont de retour avec les billets qui servent de hache au bourreau. Talonnant son père de questions, Eugène tente de connaître le but réel de cet achat. Poussé à bout, le docteur le met finalement au courant des événements qui l'obligent à sévir contre Élise. Il précise même:

— Je crains que monsieur Dubuc n'obtienne jamais son diplôme. Pour l'intérêt de la médecine, l'intégrité de tous ses pratiquants ne peut être mise en doute. Et dans son cas...

— Les mauvaises langues colporteront que ça ressemble à de la vengeance, intervient Eugène. Gardez-vous de vous emporter contre lui. Il suffit d'éloigner Élise jusqu'aux noces. Quand elle vivra avec Louis...

— Mais tu ne te rends donc pas compte de la responsabilité morale qui m'incombe! D'ici au jour de son mariage, je dois veiller à la protéger des coureurs de jupons qui désirent tirer avantage de sa naïveté. J'exècre cette race d'hommes. Mon devoir est de préserver la sensibilité et l'innocence d'Élise contre les fables amoureuses de cet intrigant. Ils ont beau nier tous les deux, mes yeux ne me trahissent pas. Il lui a baisé les mains, et assez longtemps, au grand plaisir d'Élise. C'est ça, le problème: Élise éprouve de l'attirance pour ce gueux! Ah! J'aurais dû tordre le cou à cette vipère, hier soir. Qu'est-ce qui m'en a empêché?

Napoléon, attiré par le ton emporté de son père, est depuis un bon moment adossé au cadre de la porte du salon. Ces accusations le bouleversent et l'offusquent en même temps. Il ne parvient pas à admettre que Victor soit un profiteur. Réagissant à la question de son père, il se mêle à la conversation:

— Le fait est qu'il n'est peut-être pas aussi coupable que vous le prétendez!

Le docteur sursaute et fixe sur son cadet un regard insulté:

— Que veux-tu insinuer par là? Que mon jugement est fautif?

— Ce que je remets en question, c'est l'immoralité de Victor. J'ai suivi mon cours classique avec lui. Il est vrai que nous ne nous fréquentions pas beaucoup, vu que nous n'étions pas pensionnaires ni l'un ni l'autre et qu'il habitait dans un autre quartier... Mais pendant mes années d'études au Séminaire, j'ai appris des choses à son sujet. Entre autres, il est travaillant. Ses notes, il ne les a jamais volées. Il n'était pas le genre à faire des courbettes devant les frères pour améliorer ses résultats. Il m'a toujours semblé honnête. Mais, d'un autre côté, je comprends que son attitude ait pu provoquer votre colère.

— Vraiment! Alors, explique-moi en quoi ma colère est justifiée.

Napoléon devine l'impatience de son père derrière son ton ironique. Il doit choisir judicieusement ses mots pour ne pas l'irriter davantage.

— Son attitude peut sembler choquante, mais elle est aussi excusable. Excusable parce qu'Élise est charmante. J'en connais plusieurs qu'elle ne laisse pas indifférents. Excusable aussi parce que Victor n'est pas de notre monde, justement! Oui, il est ébloui qu'Élise daigne lui accorder un peu d'attention. Ce qu'elle lui octroie en toute naïveté. Elle ne se rend pas compte des réactions qu'elle provoque.

— Voilà ce à quoi je vais remédier, riposte le docteur dont la fureur n'a pas baissé. Ça aidera avantageusement mademoiselle votre sœur d'aller mettre à l'abri son incontrôlable pouvoir d'attraction. Chez sa tante, elle n'aura plus l'occasion de séduire involontairement toute la gent masculine de la faculté. Je pourrai ainsi remettre à mon gendre une jeune fille encore pure. Eugène, c'est toi qui iras la reconduire à la Pérade. Et pour ce monsieur Dubuc dont le sort vous importe tant, je vais voir à ce qu'il perde son goût des mondanités. À chacun sa place!

Coupant court à la conversation, le docteur va se barricader dans son cabinet. Eugène sort de son silence et applaudit son frère:

— Bravo! Voilà le plus minable plaidoyer que j'aie jamais entendu. Tu as raison d'étudier en médecine, tu ferais un exécrable avocat.

— Parce que tu vaux mieux? Alors, pourquoi ne défendais-tu pas Élise?

— C'est ce que je m'apprêtais à faire avant ta subtile intervention.

Napoléon tourne le dos à son aîné avec un haussement d'épaules pour se laisser tomber sur une chaise. Eugène lui décoche encore quelques flèches moqueuses et insultantes avant de changer de ton. Plus fraternel, il essaie de l'amadouer pour lui soutirer informations et commérages sur Élise et l'étudiant. Napoléon en profite pour se venger et refuse obstinément de révéler quoi que ce soit. Eugène ne s'en formalise pas et bat en retraite en le narguant:

— Tant pis! J'irai directement aux sources.

Bousculé, secoué et coincé entre les voyageurs, pour la plupart des femmes qui vont courir les aubaines dans les magasins à rayons de la rue Saint-Joseph, Victor, debout au fond du tramway, revient dans le coin de sa jeunesse. Évitant de renouer avec les brefs souvenirs qui se réveillent en lui, il examine avec attention les rues qui défilent derrière la vitre encrassée pour ne pas manquer son arrêt.

Il descend à deux pas d'une biscuiterie où il se régalait jadis de pains d'épice à deux sous. Il passe sans un regard devant la bijouterie dont les figurines mécaniques ornant la vitrine l'attiraient comme un aimant lorsqu'il était enfant. Tassé entre la falaise, où trône la haute-ville, et la rivière Saint-Charles, le quartier Saint-Roch est le royaume des ouvriers et des gagne-petits.

Victor s'y sent chez lui. Il regrette d'avoir dû s'établir à l'autre bout de la ville, près du port, mais il n'avait pas d'autre choix. Du vivant de sa tante, le loyer qu'il partageait avec elle dans ce secteur grèverait son budget maintenant qu'il est seul. Et, de la rue Sous-le-Cap, il est si près de l'université qu'il économise aussi sur le transport. Accompagné de ses souvenirs nostalgiques, il se rend chez Boudrias.

Il frappe à une maison de bois basse et serrée de près par deux bâtisses plus imposantes. La peinture des murs anciennement blancs est jaunie et écaillée. Une main incertaine écarte le rideau sombre de la seule fenêtre donnant sur la rue. Victor entrevoit par la vitre un visage inquiet qui le scrute. Il encourage l'occupant à l'accueillir par une salutation de la tête. Quelques instants plus tard, un vieil homme rabougri entrouvre la porte. Sans un mot, la mâchoire crispée, il fixe l'inconnu qui ose le déranger.

— J'aimerais parler à monsieur Boudrias, celui qui travaille aux trains.

— Trop tard.

Le ton du vieillard est triste, sa voix, tremblotante. Victor qui ne s'est pas déplacé pour rien insiste:

— Il est sorti? Savez-vous où je pourrais le rejoindre?

— Pourquoi vous intéressez-vous tant à mon gars?

Pris au dépourvu par cette question qu'il ne prévoyait pas, Victor brode une vague explication:

— Je l'ai rencontré au travail et je m'inquiétais de son absence. Personne ne l'a vu de la semaine, alors je suis venu aux nouvelles. Il n'est pas malade, j'espère?

— Non, il n'est pas malade, halète l'homme en retenant un sanglot. Non, il est mort.

Victor reçoit le coup en plein front comme une massue qui s'abattrait sur lui. C'est la dernière chose à laquelle il s'attendait. Qu'est-ce qui s'est passé? Se méprenant sur les causes de la réaction de son visiteur – et surtout parce qu'il éprouve le besoin de parler avec quelqu'un – le père éploré invite le jeune homme à passer un moment avec lui.

Le vieillard le conduit vers deux chaises couvertes de coussins usés près de la fenêtre frontale. Dans ce salon sentant le camphre et le renfermé, il ingurgite à petites gorgées une médecine de son invention: deux portions de lait pour une de brandy. Sans vraiment insister, il en offre à Victor qui refuse prétextant qu'il ne veut pas lui causer de dérangement.

D'une voix chevrotante, à travers un fouillis d'explications et de souvenirs sans aucun rapport avec la mort de son fils, le vieil homme rapporte les rares éléments qu'il sait sur sa disparition. Samedi dernier, suivant son habitude, Boudrias fils avait passé la journée à l'extérieur. Son père ne s'inquiétait pas quand il ne rentrait pas coucher, car cela lui arrivait souvent. Le lundi matin, il n'avait toujours aucune nouvelle de lui ni aucune raison de s'alarmer. Boudrias découchait régulièrement soit pour son travail, soit pour son plaisir. Mais ce jour-là, dans l'après-midi, une note avait été déposée sous la porte, un simple bout de papier l'avertissant que son garçon était muté à Montréal pour un certain temps et qu'il ne devait pas s'attendre à le revoir avant plusieurs semaines. S'imaginant qu'il s'agissait d'une promotion, le père s'était réjoui et rêvait aux revenus plus élevés qui entreraient dans la maison dorénavant.

Pour son plus grand malheur, hier, tout s'est écroulé. Un policier est venu une première fois pour poser des questions sur l'absence de son fils à l'ouvrage et une deuxième pour lui montrer une photographie. Celle de son garçon, mort! D'après l'agent, il aurait été tué samedi ou dimanche soir, tué à coups de couteau et jeté comme un vulgaire débris du haut du cap. Maintenant, il est trop tard, son corps est enfoui dans une fosse commune.

Sa voix se brise sur cette constatation. Il avale une lampée de son tonique maison et demeure les yeux dans le vide. Il ne réagit pas quand son invité se lève sans bruit et retourne à la lumière de la rue.

Victor est consterné. Le mort qu'il a ramassé sur le Cap-aux-Diamants est nul autre que Boudrias. Alors le meurtrier s'est débarrassé de lui pour éliminer un témoin gênant! Était-il gênant parce qu'il menaçait de tout dévoiler? Si c'est le cas, cela implique peut-être que l'employé du train a voulu profiter de son information pour soutirer de l'argent. A-t-il exigé un montant trop élevé ou le tueur ne désirait-il prendre aucun risque? Un peu des deux, peut-être.

À moins que le meurtrier ait simplement pris conscience qu'il existait un témoin à son forfait. Pris de peur, il l'a liquidé dans un geste de panique. Jonglant avec cette idée, Victor arpente les rues familières de ce coin de la ville, sans vraiment les voir. La mort de Boudrias l'embête puisqu'il ne reste que Sabrina pour disculper Robitaille. Et on ne saura jamais, avec certitude, si Joséphine était dans le train de nuit. Refusant de se décourager, il s'accroche au seul espoir qu'il possède encore, l'agent Grondin. C'est sûrement lui qui a interrogé le vieil homme. Il suit la même piste et doit en venir aux mêmes conclusions.

Victor se rappelle tout à coup la note hypothétiquement laissée par Boudrias et annonçant son départ pour Montréal. Il s'en veut de ne pas avoir demandé à la voir. Quoi qu'il soit probable que Grondin l'ait déjà réquisitionnée pour son enquête. C'est une preuve importante puisqu'elle a été écrite par l'assassin. L'employé du train n'a jamais pu en être l'auteur, il était déjà mort lundi après-midi. Et pour l'avis de démission, comment l'assassin a-t-il procédé? Par téléphone!

La secrétaire du Canadien Pacifique a mentionné l'incident. Selon elle, Boudrias a appelé juste avant midi, au moment où elle se préparait à aller manger. Puisqu'elle ne connaît pas personnellement tous les employés du train, n'importe qui pouvait téléphoner. Il suffisait qu'il donne le nom de Boudrias et le motif de son départ. Mais elle a dû exiger une confirmation, vérifier qu'il s'agissait réellement de l'employé, par exemple un numéro de matricule. Numéro que le meurtrier possédait! Aucun papier n'a été retrouvé sur le cadavre de Boudrias. L'assassin lui a soulagé les poches avant de le pousser dans le vide. Il a aussi pris le temps d'essuyer son couteau à l'intérieur du veston de Boudrias comme l'indique la longue déchirure ensanglantée dans la doublure.

Aussi pressé par le temps qu'il devait l'être et même sous l'énervement du moment, l'assassin a eu suffisamment de sang-froid pour penser à camoufler son geste. En s'emparant des papiers de Boudrias, il ne pensait peut-être pas déjà à s'en servir, mais il savait les difficultés que cela créerait pour l'identification. Il a même dû s'imaginer qu'on ne retrouverait pas aussi vite le corps de sa victime. Si les oiseaux ne l'avaient pas éventré, il n'y aurait pas eu d'odeur nauséabonde pour alerter la femme de la rue du Sault-au-Matelot.

Plus il y réfléchit, plus Victor est convaincu que l'assassin s'avère être un calculateur. D'abord, pour tuer Boudrias, il l'entraîne dans un coin sombre. Derrière le parc Montmorency, en haut du cap, l'endroit est tout désigné. La nuit, peu de gens s'y aventurent. Là, il le tue par surprise. Boudrias pourrait se défendre, mais il semble qu'il ne se débat pas. Enfin, si l'on se fie à l'absence de marques sur les mains. Il a pourtant été frappé de face. Il est donc embobiné par des paroles mensongères. Puis, l'assassin le fouille, prend ce qui lui paraît nécessaire et le soulève pour le balancer dans le vide par-dessus le parapet de pierres.

Boudrias est lourd, Victor en sait quelque chose. L'assassin doit posséder beaucoup de vigueur ou alors il agit en deux mouvements. Il glisse sa victime de l'autre côté du mur et, au risque de tomber lui-même, il le rejoint et le pousse plus bas.

Plus tard, le lundi matin, il téléphone à la compagnie ferroviaire pour obtenir l'adresse du mort. La réceptionniste a décrit sa voix comme celle d'un homme poli, sûr de lui, quelqu'un de bien élevé. Après, il retéléphone, en modifiant sa voix, pour notifier la fausse démission. Ça évitera à la compagnie de se poser des questions sur l'absence de son employé. Et il se rend chez Boudrias pour y déposer la note pour le pauvre père qui ne s'inquiétera pas de son fils avant longtemps. Et lorsqu'il le fera, ce sera trop tard. Même si quelqu'un relie cette disparition au mort du Cap-aux-Diamants, le lien s'arrêtera là. La victime de la gare restera étrangère à cette affaire qui passera sur le dos d'un voleur.

Tout a été magnifiquement combiné, sauf pour un détail: la découverte du corps de Joséphine à la gare! Oui, s'il l'a étranglée dans le train, il aurait pu la jeter au dehors avant cela. De Montréal à Québec, la route est longue, près de six heures, elle traverse des champs, des forêts, des rivières. Il aurait pu balancer la fille n'importe où et sans risquer qu'on la retrouve rapidement. Pourquoi a-t-il attendu? Un contretemps, sûrement.

L'assassin sait préparer et organiser un plan, mais il est sujet à l'erreur. S'il a commis celle-là, d'autres ont pu se glisser dans l'exécution de son projet. Et c'est là-dessus qu'il faut espérer le coincer. Sans le vouloir, il a dû semer des indices derrière lui, permettant peut-être de découvrir son identité. Le premier, c'est qu'il figure sur la liste des passagers du train. Joséphine aussi, à moins que le meurtrier, qui a acheté le billet à sa place, l'ait inscrite sous un faux nom.

Dans le tramway qui le ramène à la haute-ville, Victor se laisse bercer par le roulis irrégulier. Il revoit mentalement la pauvre Joséphine, décapitée, les traits figés dans un rictus de peur, une fine ligne gravée dans son cou. D'ailleurs, comment a-t-elle pu tomber sous les roues du train? Sur ce point, Bélair a raison. Si l'assassin l'a jetée dehors, elle aurait dû atterrir à côté des rails. À moins qu'une partie de son corps ne se soit accrochée au wagon. Mais, ainsi pendue, elle aurait été traînée sur une certaine distance. La tête et le bras auraient été coupés à un endroit et le tronc déposé plus loin. De plus, le frottement sur le gravier aurait déchiré sa robe et lacéré la peau. Joséphine portait des traces de coups, mais aucune coupure. Et il n'y avait que le rail qui séparait la tête et le bras du reste du corps. Alors, comment?

Victor prend une correspondance pour la gare du Palais. Le seul moyen d'être fixé est de vérifier sur place. Descendant en face de l'imposant bâtiment aux allures de manoir campagnard, il le contourne et se rend immédiatement à l'arrière pour examiner les rails. Un train est stationné au quai d'embarquement et tous les employés s'occupent à satisfaire des passagers. Victor profite de leur inattention pour s'avancer jusqu'à l'endroit où il a ramassé le corps.

Par terre, il n'y a rien de particulier. Depuis plus d'une semaine, les nombreux wagons qui ont emprunté cette voie ont aidé à la disparition du moindre indice qui aurait pu subsister. Victor a beau fureter dans le gravier qui entoure les rails, il ne trouve que des petits cailloux. En se relevant, il distingue au bout du terrain les hangars aux portes closes. Il se retourne pour jeter un coup d'œil au train devant la gare et doit se déplacer, car un poteau lui en cache la vision. C'est à cet instant qu'il remarque les fils électriques qui suivent la voie ferrée. Une longue rangée de poteaux lisses et nus les soutiennent, plantés en bordure des rails.

Il imagine alors que le corps de la fille, expulsé du wagon comme une balle, a pu ricocher sur l'un d'eux pour changer de direction, ramenant ainsi sa tête sous les roues du train. Au milieu de ce vaste espace vide, ce poteau est le seul à avoir nui au meurtrier, comme s'il avait poussé là pour le déjouer.

Le sifflement du train tire Victor de sa rêverie. Il s'éloigne des rails et se rend au poste de police. Grondin en a peut-être découvert davantage.

12

Assis sur son lit, Victor est déçu. Il n'a pas pu rencontrer Grondin puisque celui-ci ne travaillera que cette nuit. Il aurait aimé vérifier avec le policier la liste des passagers du train. Mais, en y repensant, il craint fort que cela ne l'avancerait à rien. Il est probable qu'uniquement ceux qui achètent leur billet à l'avance à Montréal sont notés. Tous les autres voyagent, pour ainsi dire, incognito. Et puis, même si le coupable était sur la liste, il n'est pas certain qu'il aurait utilisé son véritable nom.

Un seul point positif ressort des réflexions de Victor. Le docteur Kingsley ne correspond pas au genre de meurtrier qu'il recherche. En effet, son enseignant est un homme prompt qui pourrait peut-être, à la limite, tuer sous l'emprise de la colère. Mais comment l'imaginer en calculateur, tuant froidement, par surprise, l'employé de la gare après l'avoir attiré près de la falaise? Non, impossible! D'ailleurs pour quel motif aurait-il assassiné Joséphine? D'accord, il est obsédé par le besoin d'obtenir des cadavres pour ses cours. Mais il sait pertinemment que la victime d'un meurtre ne peut lui servir. Le système judiciaire ne le permettrait pas.

Il relit pour la seconde fois les notes qu'il a prises après la dissection à l'université et les compare avec celles inscrites à la morgue durant son cours privé avec Sirois. Elles ne lui apprennent rien de plus. Cependant, il est intrigué par la reproduction de la marque imprimée sur la gencive de la victime. Son visage devait être appuyé sur un objet quelconque pendant qu'elle était étranglée. Mais dans ce cas, tout le visage aurait été marqué; pas seulement ses lèvres. Pourtant, il n'y avait aucune trace sur ses joues ou son nez. Il se penche sur son griffonnage et l'examine avec minutie. Remettant son somme à plus tard, il quitte précipitamment sa chambre.

À son réveil, tard dans la soirée, Victor dresse l'oreille aux bruits qui agitent la pension de madame O'Brien. L'animation turbulente qui y règne lui prouve que les filles sont déjà à l'œuvre. Incapable de se rendormir, il décide d'aller se promener, ce qui l'aidera à réfléchir à sa découverte de cet après-midi.

Pour éviter de croiser les usagers de la pension, il emprunte le réseau de galeries et d'escaliers qui relient les devantures des maisons. Ce chemin, suspendu en travers de la rue au niveau du deuxième étage, permet de défier les inondations fréquentes à marée haute. D'un coin sombre, sous les marches du premier palier, l'étudiant entend des pleurs faibles et retenus.

Il s'éloigne d'abord pour ne pas se mêler de ce qui ne le concerne pas. Mais, après quelques pas, il fait demi-tour. Il a reconnu Rose-Aimée ramassée sur elle-même. En s'accroupissant près d'elle, il voit ses joues pâles ruisselantes de larmes qu'elle essuie en vain.

— C'est rien, c'est rien, balbutie-t-elle.

— Voyons, on ne pleure pas pour rien. Qu'est-ce qui vous affecte autant? Quelqu'un vous a blessée?

— Non... pas encore. Je veux pas y aller! Je veux pas! J'ai pas envie d'aller à Montréal. En tout cas, pas avec lui.

Il ignore complètement de quoi elle lui parle, mais suggère pour la consoler:

— Si ça vous déplaît autant, vous n'avez qu'à rester à Québec.

— Ça paraît que vous connaissez pas la patronne. Elle dit tout le temps qu'on a une dette envers lui. C'est vrai. Quand on se retrouve derrière les barreaux, il vient toujours nous sortir de là, mais... je l'aime pas. D'accord, on travaille pas seulement avec ceux qu'on aime mais, lui, il me fait peur.

D'une voix confuse, elle explique qu'elle doit rejoindre un client ce soir, à la gare du Palais. Cet homme n'engage des filles que rarement pour lui-même. D'ordinaire, il loue leurs services pour satisfaire une autre personne, un parent ou un ami. Quelqu'un qui a des demandes particulières où la violence tient une large part. Angélique s'en est instruite à ses dépens, samedi dernier.

— Votre patronne accepte ça! s'étonne Victor.

— C'est payant, très payant. Et elle a pas tellement le choix à cause de sa dette envers lui. Je pense qu'il se gênerait pas pour la dénoncer aux policiers, si elle refusait.

— Je voudrais pouvoir vous aider...

Elle secoue la tête, car elle sait qu'il ne peut rien pour elle. Le fixant de ses yeux bleus brouillés par les larmes, elle expose pourtant ses inquiétudes d'une voix brisée:

— Pensez-vous que... que... je... dans le train... j'ai peur d'être étranglée comme Joséphine! Après tout, le fou, il est à Québec, pis il veut peut-être revenir à Montréal! Vous pensez pas, non?

Il est ébranlé par cette idée. Encouragé par le fait qu'il n'a pas été arrêté après son premier crime, l'assassin a-t-il envie de recommencer? D'ailleurs, était-ce effectivement la première fois? Il y a néanmoins un défaut dans le raisonnement de Rose-Aimée.

— Madame O'Brien connaît votre client de cette nuit. Si vous disparaissiez, elle s'en inquiéterait et pourrait porter des accusations contre lui.

— Quand on fait ce travail-là, on va pas se plaindre à la police. Et c'est pas ça qui me ramènerait vivante. Lui, il a beau jeu. Un monsieur de la haute! Personne le soupçonnerait de ça.

Personne ne le soupçonnerait. Cette définition correspond parfaitement à l'individu que Victor recherche.

— Votre partenaire pour le voyage, est-ce celui qui passe la commande pour les filles ou l'autre personne qui préfère se servir d'un intermédiaire?

— C'est pour lui-même! C'est ça que j'aime pas. Si c'était pour le vieux, je me débrouillerais. J'ai déjà eu affaire à lui. Suffit de faire semblant de souffrir et il est content. Mais le jeune, tu lui joues pas dans le dos de même. Quand il parle, j'ai des frissons partout.

— Connaissez-vous son nom?

— Pas au complet, m'ame 'Brien préfère qu'on appelle les hommes par leur prénom. C'est Monsieur Louis. Il était dans le salon quand vous êtes arrivé hier.

Maître Louis Bélair! Le fiancé d'Élise! Victor comprend enfin la raison de sa visite à madame O'Brien: il se cherchait de la compagnie pour un voyage à Montréal. Cela ne fait pas de lui un assassin pour autant. Il n'est pas le premier homme à désirer les faveurs d'une fille facile, même s'il est à la veille de son mariage.

Alors pourquoi le sentiment que l'avocat est mêlé de près au meurtre s'incruste-t-il en Victor? Parce que Bélair lui a menti en affirmant avoir interrogé Boudrias, et cela en ayant l'air naturel. Parce qu'il semble aussi que Louis a mené une petite enquête sur Victor auprès de madame O'Brien. Et puis, il agit comme proxénète ou entremetteur, une tâche qui ne concorde pas avec son apparente respectabilité. Et Victor sait maintenant, avec preuve à l'appui, que le meurtrier est un avocat. Cet après-midi, il a questionné quelques bijoutiers avant de découvrir que le dessin sur la gencive de Joséphine avait été causé par une bague: celle des finissants en droit!

Quelle ironie! Si son intuition est fondée, le véritable assassin défendrait la cause de l'accusé. Avec Bélair, Robitaille n'aurait aucune chance.

L'étudiant entend rendre une visite à Grondin et lui révéler tout ce qu'il sait de nouveau. Mais d'ici là, Rose-Aimée ne doit pas rejoindre Bélair à la gare.

— Où Monsieur Louis vous a-t-il donné rendez-vous?

— Dans le train, et je dois pas être vue par les employés de la gare. Quand je serai dans le wagon, si le valet du train m'aperçoit, c'est pas grave. Il va recevoir un gros bonus pour fermer les yeux. Mais j'ai un billet, c'est juste pour pas que le monde jase. Comprenez?

Il saisit très bien. Si l'avocat a l'intention d'étrangler la fille, il n'aura qu'un témoin à déjouer. En pensant à cela, Victor éprouve certains scrupules. Comment peut-il imaginer le fiancé d'Élise assassinant froidement? Louis n'est pas le seul avocat à posséder la même bague de finissants! Eugène Vaillancourt aussi, ainsi que tous ceux qui ont terminé leurs études en droit. Pourtant...

— Le train part aux alentours de minuit?

— Oui, mais je dois y aller avant, vers moins quart.

«Minuit moins quart! songe-t-il furieux contre la tournure des événements. Ce soir, Grondin ne commence qu'à minuit. Avant que je réussisse à convaincre un autre policier d'intervenir, le train va être loin. Arrêter maître Bélair sur de simples présomptions! Ils vont me prendre pour un fou furieux.»

Dans le but de protéger Rose-Aimée, il tente de la convaincre de ne pas se rendre à la gare. Torturée entre deux maux aussi importants à ses yeux l'un que l'autre, elle se lamente:

— Je peux pas! M'ame 'Brien va me mettre à' porte si je vais pas travailler. Ou elle va vouloir que je rembourse l'argent qu'elle va perdre. J'ai pas les moyens.

— Votre vie est peut-être en jeu! réplique-t-il avec véhémence. Vous ne pouvez pas accepter de la risquer pour un peu d'argent.

— Et si je me trompais? Si je m'imaginais des affaires? Y'a rien qui dit que l'assassin va être dans le train. Et Monsieur Louis est peut-être pas si dur qu'il en a l'air. J'ai pas les moyens de perdre de l'argent. Faut que je travaille!

Au fond, il sait qu'elle a raison. Il ne peut prouver avec certitude que Bélair est l'assassin. Mais il décide de faire confiance à son instinct. Plongeant les mains dans ses poches, il en retire quelques dollars et les donne à Rose-Aimée.

— Tenez! Vous m'obligeriez infiniment en acceptant cet argent. Je m'en voudrais pour le reste de mes jours de vous avoir laissée partir sans avoir tenté de vous aider. Vous ne pouvez pas vous jeter dans la gueule du loup. Et si madame O'Brien réclame un dédommagement, vous aurez de quoi la payer.

— J'ai jamais pris l'argent de personne sans travailler pour! se rebiffe-t-elle en refusant l'aumône.

— D'accord! J'achète votre billet de train.

Il place l'argent sur les genoux de Rose-Aimée et tend la main pour recevoir le billet. Ébahie, elle s'oppose encore:

— Vous en avez pas de besoin de mon *ticket*!

— Pas sûr! Je pourrais avoir envie de voyager avec un certain avocat de Québec. Il y a plusieurs points dont j'aimerais discuter avec lui. Allez, donnez-moi votre billet. De toute façon, vous ne désirez pas vraiment visiter Montréal.

Oscillant entre le devoir à accomplir et la sécurité, elle prend son temps avant de finalement lui remettre le morceau de carton. Victor l'examine et constate que c'est un aller simple. Elle explique:

— Pour le retour, c'est lui qui devait me le donner en arrivant à Montréal.

— En supposant qu'il ait réellement acheté un billet de retour.

Rose-Aimée frissonne à ce que sous-entend cette idée. Il lui serre chaleureusement la main pour la réconforter. Il se sent soulagé puisque, d'après lui, le véritable meurtrier se retrouvera sous peu en prison à la place de Robitaille. Quoique, en attendant que les policiers procèdent à l'arrestation, quelques jours peuvent s'écouler. Et si Bélair en profitait pour disparaître? En passant par Montréal, il s'éloigne du lieu de ses crimes et peut facilement s'enfuir n'importe où.

Est-ce la raison de son voyage? Non, il n'aurait pas invité une fille à se joindre à lui. Présentement, Bélair est persuadé que personne ne le soupçonne. L'absence de Rose-Aimée dans le train de ce soir éveillera-t-elle des doutes dans son esprit? Victor, le billet à la main, a déjà décidé qu'il n'aura pas dépensé pour rien. Il a rendez-vous dans moins de deux heures avec l'avocat.

Il conseille à Rose-Aimée de se reposer et d'oublier Monsieur Louis. Puis, il va endosser son costume du dimanche. Pour la confrontation qu'il échafaude, il doit mettre tous les atouts de son côté. Il est reposé et a le temps d'avaler un copieux repas à l'hôtel Blanchard, un des rares endroits dont la salle à manger est ouverte aussi tard.

Stylé, le vieux chauffeur ouvre la portière, sa casquette sous le bras. Il attend, le corps rigide, que l'homme descende avant de s'occuper des bagages. Après les avoir confiés à un porteur de la gare, il prend congé de son patron. Louis Bélair daigne à peine lui accorder un regard.

L'avocat pénètre dans le vaste hall animé par la présence des voyageurs de cette nuit. Sortant sa montre de gousset, il en vérifie l'heure sur celle de l'horloge de la gare et constate avec satisfaction qu'elle est exacte. Sans s'attarder, d'un claquement de doigts, il indique au porteur de le suivre sur le quai et se dirige sans hésitation vers un wagon. Prévoyant, il achète toujours son billet à l'avance pour occuper la même couchette à chacun de ses voyages à Montréal.

Il s'installe dans un compartiment qui possède plus de luxe que certains hôtels de première classe. Il loge dans la plus belle cabine du train, la plus dispendieuse aussi, mais cela le vaut largement pour l'utilisation qu'il envisage. Il lance sa canne et son chapeau sur les rayures or et bleu royal du canapé non encore transformé en lit. Il laisse couler l'eau dans le lavabo en porcelaine, situé dans le coin près de la porte, pour s'assurer qu'elle est chaude. Il examine même la propreté du cabinet d'aisances dissimulé derrière un rideau. Un regard circulaire sur les boiseries, la tapisserie et la moquette le convainc que tout est minutieusement réglé.

Louis apprécie l'ordre et la planification. Tout ce qu'il entreprend suit une ligne de conduite claire et précise. Il aime reproduire les mêmes gestes de fois en fois. Et ce soir, comme d'habitude, rien ne doit s'aligner de travers. Il dépose un pourboire dans la main tendue du porteur et lui ordonne de prévenir le valet de chambre de sa présence.

L'homme s'éclipse rapidement sans oublier les courbettes d'usage pour le généreux voyageur. Louis s'assoit près de la fenêtre, les jambes allongées devant lui. Affichant une moue hautaine, il toise ses semblables qui se pressent sur le quai, ne sachant pas vraiment dans quel wagon embarquer. Une colonie de fourmis se bousculant à l'entrée de leur fourmilière ne l'intéresserait guère plus.

Son rictus dédaigneux se fige soudainement. Il abaisse lentement le rideau et ne glisse qu'un œil à l'extérieur pour s'assurer qu'il n'a pas été vu. Il a encore le regard rivé sur le quai lorsque, en réponse au coup frappé à la porte par l'employé du train, il donne la permission d'entrer. Fortin approche, servile. Délaissant enfin l'observation du quai, Louis passe à celle du valet.

— Quinze minutes après le départ du train, vous m'apporterez une bouteille de champagne.

Il tend cinq dollars pour le payer immédiatement, évitant ainsi d'être dérangé plus tard.

— Gardez le reste pour le service. Et ceci, continue-t-il en coupant court aux remerciements de Fortin et en exhibant un autre billet de cinq dollars, ceci, pour garantir que mon nom ne sera en aucun moment prononcé devant qui que ce soit. Des connaissances à moi montent dans ce train et je n'ai vraiment aucun désir de leur parler. Vous savez être discret, n'est-ce pas?

Ébloui par la somme offerte, Fortin l'empoche avec respect et assure son élégant passager de sa discrétion absolue. Même si, habituellement, c'était Boudrias qui le servait, le voyageur ne lui est pas totalement inconnu. Son ancien collègue s'est souvent vanté de connaître les causes de sa prodigalité. Un homme d'une telle notoriété ne peut se permettre la moindre tache sur sa renommée. Si la nature des compagnes de voyage qui l'accompagnent était connue, cela pourrait choquer les bonnes âmes.

Fortin délaisse le dernier compartiment et emprunte le couloir qui longe les chambrettes. Il pousse une porte qui donne sur un deuxième corridor et quelques chambres un peu plus grandes que celle choisie par Louis. Plus loin, contournant un poêle à charbon, inutilisé à cette période de l'année, il entre dans la section réservée aux passagers de première classe. Il n'y a là aucun lit, que des fauteuils de style bergère recouverts de tissu en velours marine. Les murs sont couverts de boiseries et de décorations aussi luxueuses que du côté des chambres. Cette partie, souvent moins fréquentée la nuit, car elle ne permet pas aux voyageurs de se reposer, est inoccupée pour le moment. Fortin n'est pas mécontent de constater que cette nuit il y aura peu de passagers.

Lorsqu'il se prépare à passer d'un wagon à l'autre, il est interpellé par un homme sur le quai. Après vérification de son billet, il lui indique la section première classe et poursuit sa tournée. Eugène revient vers le groupe qui attend à quelques pas.

— C'est par là que nous nous installons, annonce-t-il.

Sa mère pousse Élise devant elle et propose à son mari:

— Allons vérifier si sa place est convenable.

Sans attendre de réponse, elle monte à bord aidée par les gestes prévenants de Napoléon. Toute la famille la suit dans le wagon, autant pour lui plaire que pour prodiguer ses adieux à Élise. Les commentaires sur le wagon, brefs et positifs, de madame Vaillancourt se transforment vite en jérémiades et en blâmes abondamment répandus sur le dos de sa fille.

Celle-ci baisse la tête, consciente qu'autrement elle exciterait encore plus sa colère. Napoléon ronge son frein en attendant un meilleur moment pour défendre sa sœur. Eugène fait la sourde oreille à ces récriminations tandis que son père y puise le courage de chasser sa fille.

N'étant pas de nature rancunière, le docteur Vaillancourt a déjà commencé à lui pardonner. Son mécontentement est encore trop à vif pour effacer l'offense et revenir sur sa décision, mais il sait que, dans peu de temps, il ira lui-même la chercher à la Pérade. Enfin, quand la colère de son épouse aura baissé d'un cran. Contrairement à son mari, elle pardonne rarement les accrocs à l'étiquette et à la discipline.

Les embrassades, froides de la part de madame Vaillancourt, écourtées pour le docteur, maladroites de Napoléon, ponctuent la séparation de la famille. Eugène et Élise, demeurés seuls dans le train, saluent d'un dernier geste de la main leurs parents pressés de prendre le chemin du retour.

— J'espère qu'ils sont confortables, ces sièges, marmonne Eugène en s'affalant sur l'un d'eux. Un petit somme ne serait pas de refus. Ça m'aidera à digérer. Et puis, comme le dit la chanson: «Le bon vin m'endort, l'amour me réveille encore...»

— Tant mieux pour toi, si tu parviens à dormir. Moi, je n'en ai aucune envie. Je n'ai pas passé ma veillée à faire la fête comme toi. Qu'est-ce que j'aurais pu célébrer?

Elle s'assoit, le corps raide, sur le fauteuil le plus éloigné de son frère. Elle ne désire pas lui tenir conversation durant les deux heures qui les séparent du village de sa tante. Elle devine que son arrivée, en pleine nuit dans cette modeste localité riche en commères, avivera les mauvaises langues. Quand on sépare un couple avant le mariage, c'est pour éviter des circonstances fâcheuses. Fâcheuses, mais pardonnables si le mariage a lieu et que la faute est commise par le fiancé. Dans son cas, les bonnes manières de Louis ne sont nullement remises en question. Elle est la seule fautive. Celle qui a osé parler avec un inconnu!

Irritée, elle pince les lèvres. Eugène, sous son chapeau rabattu, observe chacun de ses airs. En deux heures, il espère réussir à obtenir d'elle la vérité sur sa relation avec l'étudiant. Un premier coup de sifflet indique le départ imminent.

Sur le quai, Victor se faufile entre ceux qui sont assez persévérants pour guetter le départ. Il aborde Jolicœur pour connaître la localisation de sa couchette. Si l'homme est surpris de le voir en possession d'un billet aussi onéreux, il n'en laisse rien paraître. Poli, comme avec tous les passagers, il le guide vers une portière.

— En entrant, la première porte tout de suite après les toilettes. Vite, le train part dans une minute.

Victor grimpe à bord mais, rempli d'appréhensions, il hésite à frapper. Et s'il se trompait? Après tout, sa démarche ne repose que sur des hypothèses, des divagations sans véritable fondement. Pour faire taire ses incertitudes, il vérifie de nouveau son billet et bombe le torse avant de cogner à la porte. Il reconnaît la voix qui l'invite à entrer. Avec la désagréable impression d'élever une colonie de papillons dans son estomac, il tourne la poignée.

Le sourire méprisant de l'avocat se métamorphose en une moue médusée. Victor profite de cet instant de surprise pour s'imposer.

— Bonsoir, maître Bélair! J'ai le plaisir de me joindre à vous pour ce voyage.

Un sourire ingénu sur les lèvres, il exhibe le billet de Rose-Aimée et se glisse dans la chambre exiguë.

Reprenant son aplomb, Louis se lève pour chasser l'intrus avec toutes les bonnes manières nécessaires.

— Je crois que vous êtes égaré, monsieur Dubuc. Si vous voulez sortir de ma chambre, un employé vous montrera votre place.

— Pourtant, c'est le bon numéro de compartiment. Voyez vous-même.

— Non, c'est impossible. Vous...

Consentant à examiner le billet tendu, Louis s'aperçoit qu'il s'agit de celui qu'il a remis à la prostituée. Il garde les yeux baissés un court instant et, quand il fixe de nouveau Victor, tout signe de contrariété a disparu. Il a repris son attitude calme et posée.

Plus qu'une agression brutale, cette fallacieuse affabilité inquiète Victor. L'avocat lui montre aimablement le siège face à lui. Tandis que Victor et Louis s'assoient, le train s'ébranle lentement en direction de Montréal. Pour l'étudiant, il est trop tard pour revenir en arrière. Quoi qu'il advienne dorénavant, il ne peut compter que sur lui-même.

Décidé à confondre Victor, Louis lui tend une perche:

— Comme le monde est rempli d'imprévus! Sans vouloir vous offenser, vous êtes la personne que je m'attendais le moins à rencontrer ce soir.

— J'imagine aisément votre surprise. D'ailleurs, moi-même, je n'ai envisagé ce voyage qu'à la dernière minute. C'est un hasard.

— Vraiment?

— Comme je vous le dis. J'ai rencontré quelqu'un qui avait un billet à vendre. Une très jolie demoiselle, blonde, les yeux bleus, mignonne.

Un éclair amusé passe dans les yeux de Louis.

— Voilà un charmant portrait qui correspond à des centaines de Québécoises! Et pourquoi donc cette agréable fille a-t-elle renoncé à son voyage?

— Elle aurait reçu une meilleure proposition ailleurs. De plus, évaluant les risques inhérents au trajet, elle a préféré ne pas s'y hasarder.

Louis affiche un air hautement surpris et répète:

— Risques inhérents au trajet! Comment ça? De quoi avait-elle peur?

Victor marche sur des charbons ardents. Il ne veut pas provoquer l'avocat de front, mais désire plutôt l'amener à se déclarer par lui-même. L'opération semble plus ardue qu'il ne l'avait prévu. S'efforçant d'être limpide, mais non accusateur, il louvoie:

— Oh! Il y en a plusieurs, les accidents, les vols et même les mauvaises rencontres. Pour une fille sans défense et isolée, ce n'est pas toujours très prudent de voyager avec des inconnus.

— Et vous? Ces... mêmes risques ne vous effraient-ils pas? Personne ne peut se vanter d'être à l'abri des aléas du destin.

Un appel de l'autre côté de la porte empêche Victor de répondre à cette menace voilée. Louis contrôle l'heure à sa montre et murmure d'un ton réprobateur:

— Dix minutes d'avance! Pas tellement ponctuel, ce garçon.

Haussant la voix, il lance cet ordre:

— Laissez ça dans le couloir, et revenez plus tard pour ramasser les billets.

— Bien, monsieur.

Quoique étouffée par le grondement rythmé du train et l'épaisseur de la cloison, la voix de Fortin parvient encore audible aux oreilles de Victor. Louis attend que l'employé s'éloigne pour ouvrir la porte et tirer à l'intérieur un chariot bas où trône un seau à glace. Après avoir amené la table roulante jusque sous la fenêtre entre les deux banquettes, l'avocat se montre généreux.

— Puisque vous êtes là, acceptez ce verre de l'amitié. Il n'existe rien de mieux que les voyages pour nouer des amitiés durables et éternelles... ou pour rayer à tout jamais une connaissance de son environnement! Ne croyez-vous pas?

Sa question est accompagnée du claquement sonore du bouchon qu'il a travaillé et trituré pendant qu'il parlait. Louis se hâte d'emprisonner dans deux flûtes la mousse dorée qui, libérée de toute pression, s'enfuit avec effervescence. Mielleux, l'avocat bavarde de choses et d'autres avant d'aborder, l'air serein, la cause qu'il défend.

— Vous êtes au courant qu'il y a ajournement? Ça m'aidera à monter mon plaidoyer, en me laissant plus de temps.

— Dommage que ce ne soit pas vous qui l'ayez demandé, mais un agent de police. Ça signifie sûrement qu'il a découvert des preuves incriminantes.

— Ça m'étonnerait, oppose Louis en riant à demi. Ils ne peuvent rien découvrir de plus pour accuser formellement Robitaille. Ils n'ont que des présomptions.

Victor trempe ses lèvres pour la première fois dans du champagne. Il grimace un peu sous l'effet de picotement dans le nez et goûte encore au liquide pétillant. Il espère que cette boisson le soutiendra pour accomplir sa mission jusqu'au bout. Pesant chaque mot, il affirme:

— Je ne pensais pas à Robitaille, mais au véritable coupable! Celui qui se trouvait dans le train et qui a jeté la fille, non pas par la fenêtre comme vous me l'avez si clairement démontré, mais par la portière du wagon.

Toujours souriant, mais avec une lueur plus dure au fond des yeux, Louis rétorque:

— Mais non, monsieur Dubuc! Personne n'a pu la tuer dans le train puisqu'elle n'était pas à bord. Les employés du train le confirmeront si l'enquête suit cette voie.

— Vous parlez de Fortin et de Boudrias? Il est vrai que Fortin n'a pas vu la fille et Boudrias... il ne peut malencontreusement rien nous apprendre depuis sa mort. C'était là un coup de poignard judicieusement placé de la part du meurtrier.

Victor a l'impression que Louis a le souffle coupé pour un moment et qu'il cherche à gagner du temps en déposant son verre sur le chariot et en glissant lentement sa main vers la poche intérieure de son veston. Il ne perd de vue aucun de ses gestes. Il contracte ses muscles et se recroqueville pour mieux sauter en cas de besoin. Louis tire un étui nickelé contenant ses cigares. Il en offre un à Victor en reprenant la conversation.

— Voilà qui me laisse bouche bée! J'ai rencontré ce Fortin, mais le deuxième nom que la compagnie ferroviaire m'a fourni n'était pas celui de... Boudrias. Non, il s'agissait de Picard. Il y a eu erreur quelque part. Êtes-vous absolument certain?

Victor refuse le cigare d'un geste de la main. Il est convaincu que l'avocat lui ment. Si ce Picard existe réellement, pourquoi Fortin ne l'aurait-il pas mentionné à Grondin? Jouant le tout pour le tout, Victor se lance dans une longue explication pendant que Louis allume son cigare en projetant des ronds de fumée vers le plafond.

— La nuit du crime, Fortin travaillait avec Boudrias. Celui-ci a disparu depuis une semaine exactement, samedi soir dernier. Lundi matin, l'assassin, se faisant passer pour Boudrias, a téléphoné à la compagnie ferroviaire pour signaler sa fausse démission. Le même jour, dans l'après-midi, une lettre a été déposée à la maison du père de Boudrias pour le prévenir que son fils quittait la ville pour un certain temps. Dans la nuit de lundi à mardi, le corps d'un homme, mort depuis samedi soir, a été ramassé sur la falaise du Cap-aux-Diamants. Après vérification, il s'agit de Boudrias. Voilà pourquoi il ne pourra jamais identifier l'assassin de la fille.

— Comme c'est dommage!

Jouant négligemment avec son briquet, les yeux brillants et l'air malicieux de Louis contredisent ses paroles. Victor décide de vider la question.

— Dommage pour cet homme, mais aussi pour le criminel. Ce second meurtre l'inculpe pour le premier. Il est le lien entre la fille et l'assassin. Il prouve hors de tout doute qu'elle est morte dans le train et que Boudrias était un témoin à éliminer. Donc, Robitaille est entièrement lavé de l'accusation.

— En effet, c'est un bon point pour lui. Je me réjouis que mon client s'en tire à si bon compte, admet Bélair. Mais ça ne nous en apprend pas plus sur l'identité du meurtrier ni sur les motifs qui l'ont poussé à agir aussi cruellement.

— Peut-être que si! Pensez-y! La pauvre fille a été assassinée dans un compartiment privé du train de nuit, semblable à celui-ci. Peut-être est-ce le même? Elle est seule avec un homme riche et, pourquoi pas, jeune. Il l'a engagée pour ses services. En prime, elle fait un beau voyage à Québec. Elle, qui espérait depuis si longtemps revoir sa sœur, va bientôt réaliser son rêve. Le trajet est agréable. Il lui a offert du champagne et elle collabore gentiment dans ce cadre luxueux qui la change des chambres minables où elle travaille habituellement. Et après leur relation sexuelle, il l'étrangle.

Louis cesse subitement de tripoter son briquet. Pendant un court instant, divers sentiments passent dans ses yeux. Victor y lit la surprise, un certain embarras, la rage et, finalement, une joie maligne.

— Ce serait donc un meurtre à caractère sexuel. Le geste d'un maniaque! De mieux en mieux, mais j'en reviens à ma première question: qui en est l'auteur? Ce fou n'a pas signé son crime.

— C'est là qu'il se trompe, il a laissé mieux que ça. Quand le docteur Sirois a effectué l'examen de la morte, je me trouvais auprès de lui. Pas tout le temps de l'autopsie, mais je l'ai assisté vers la fin. J'ai constaté qu'une marque étrange était imprimée dans la gencive et l'intérieur de la lèvre de la victime. J'en ai même tracé le croquis comme le docteur me l'a ordonné. Le dessin ne représentait rien de particulier jusqu'à ce que je fasse le lien avec la bague de finissants de maître Vaillancourt, une bague identique à celle que vous portez en ce moment.

Louis lance un rapide coup d'œil à sa main gauche confirmant ainsi la présence de l'objet coupable. Victor ajoute, en mentant effrontément:

— Votre nom figure sur la liste des passagers du train dans lequel Joséphine a été tuée.

Concentré sur son exposé, il n'a pas remarqué l'autre main de Louis qui s'attarde dans son veston pour ranger le briquet. Lorsqu'il la retire, un pistolet miniature apparaît dans sa paume. L'arme ressemble plus à un bijou qu'à un instrument mortel. De la crosse d'ivoire finement ciselée émerge un court canon sans guidon pour mirer. Mais Victor n'est pas assez bête pour croire qu'à aussi peu de distance, l'avocat le ratera. L'index sur la détente et le pouce sur le chien, Louis sourit avec férocité.

— Bravo! Pas si mal pour un enquêteur amateur! Quelle histoire passionnante, monsieur Dubuc! Mais vous n'avez pas terminé. Allez, vous n'êtes pas venu ici simplement pour radoter que Robitaille est innocent. Que désirez-vous? À combien se chiffrent vos ambitions? J'ai hâte de savoir si vous serez plus vorace que Boudrias. Alors, combien pour votre silence?

Victor est rassuré qu'il le prenne pour un vulgaire maître chanteur. Cela lui donne un peu de temps pour se dépêtrer de cette situation dangereuse. Enfin, il l'espère.

— Il y a autre chose. Pour que... le paiement soit considéré à sa pleine valeur, vous devez tout savoir. J'ai appris sur votre compte des choses qui me portent à croire que vous n'êtes pas aussi vertueux que les gens le présument.

— Vous m'intriguez! Rien que pour cette explication, votre élimination peut attendre quelques minutes.

Victor vide son verre et le présente à l'avocat en quémandant encore du champagne.

— C'est peut-être la dernière fois que j'en bois. J'apprécierais un deuxième verre.

— Servez-vous! acquiesce obligeamment Louis en ricanant devant tant de simplicité.

Il scrute les moindres gestes du carabin, patient et confiant qu'il ne peut lui échapper. Son sourire est aussi froid et rébarbatif que la pointe du pistolet qu'il braque sur Victor. Celui-ci avale en une seule gorgée la moitié de ce qu'il s'est versé et se racle la gorge avant de reprendre son explication.

— D'après certaines jeunes filles de ma connaissance, il vous arrive assez régulièrement de les engager pour satisfaire vos désirs ou ceux d'une autre personne. Il paraîtrait que cette dernière se montre toujours extrêmement brutale envers les filles. À tel point qu'un jour j'ai dû soigner l'une d'elles. Ce n'était pas très joli à voir.

Toute trace de sourire a disparu du visage de Bélair. Les sourcils froncés, les yeux plissés fixés sur l'étudiant, il semble contenir son exaspération et réfléchir à la meilleure attitude à adopter.

— J'en suis vraiment désolé, monsieur Dubuc, vous êtes un peu trop malin pour moi. Je constate que vous avez travaillé fort et dépensé beaucoup de temps et d'énergie pour me coincer. Allez, maintenant, instruisez-moi de votre prix que je voie s'il est raisonnable!

Parle-t-il sérieusement? A-t-il réellement l'intention de céder à un chantage? Cherche-t-il à gagner du temps ou lui tend-il une corde pour mieux l'étrangler? Cette idée macabre pousse Victor sur une autre voie.

— Malgré tous mes efforts et toutes mes investigations, il existe encore quelques trous dans mon histoire. D'abord, pourquoi avoir attendu que le train entre en gare pour jeter le corps de votre victime? C'était risqué. Avant, vous aviez le champ libre! Entre Montréal et Québec, les endroits inhabités ne manquent pas.

Louis hésite à répondre puis il donne l'impression de céder à un besoin, non pas de se confier ni de se vanter, mais de se moquer de Victor.

— Et si je m'étais endormi? Que voulez-vous, après une jouissance extrême, le corps de l'homme éprouve parfois une lassitude paralysante, l'alcool aidant aussi à cet état de choses! En tant que futur médecin, cet aspect de la nature humaine ne devrait pas vous surprendre.

Il marque une pause pour s'assurer que Victor l'écoute attentivement, pour vérifier l'effet de son explication sur l'étudiant, et poursuit, l'ombre d'un sourire narquois sur les lèvres:

— Avez-vous déjà fait l'amour dans un train? Non! Ça manque à votre culture. C'est beaucoup plus agréable et stimulant que dans un lit ordinaire. La vibration du wagon augmente de beaucoup le plaisir. Ça donne l'illusion d'être bercé par sa compagne. Et quelle vision sublime elle nous dévoile grâce à ce tremblement saccadé. Fermez les yeux! Allez, soyez sans crainte. Je ne vous abattrai pas... pas tout de suite. Promis! Fermez les yeux!

Victor est persuadé que, en toute logique, Louis ne le tuera pas immédiatement, il a trop envie de parler. Mais il ne peut empêcher l'affolement de le gagner. Aussi, pour obéir à la demande, il presse ses mains sur ses cuisses. Il relève le menton et tourne légèrement la tête pour mieux intercepter le moindre bruit. Son ouïe devient sa seule défense.

— Vous semblez posséder plus de cran que je ne l'avais d'abord cru. Rien à voir avec Boudrias qui tremblait dans son pantalon. Enfin, passons. Laissez le frémissement du train vous imprégner. Sentez-vous cette impression de flottement entre la terre et vous? Maintenant, imaginez un corps de femme à demi nue, le corsage ouvert pour vous offrir ses mamelles. Elles sont dodues et chaudes, et tremblotent au rythme des tours de roues. Elles vous donnent envie de les caresser doucement. Régulièrement, sans heurt, ses seins vibrent pour...

Il se tait comme s'il cherchait ses mots ou une raison cohérente et plausible à son acte démentiel.

— ...pour vous attirer dans son piège! Car elle vous tend un piège, cette jolie garce! Ses jambes écartées, sous les jupons de dentelle, se refermeront brusquement sur vos reins si vous n'y prenez garde et vous captureront à jamais. C'est de cette façon qu'elle désire vous perdre, en vous avilissant, et en vous emprisonnant dans le vice. Sa beauté et ses airs innocents masquent la ruse et la duplicité. Alors, vous devez vous prémunir contre sa fourberie. L'empêcher de mener à terme son plan diabolique et la réduire à l'impuissance avant qu'elle vous attrape.

«Il est fou! Complètement fou! songe Victor en réprimant un frisson angoissé. Si je ne réagis pas à temps, il va me tuer sans hésitation comme Joséphine et Boudrias.»

Ouvrant les yeux, il aperçoit Louis, le visage toujours souriant, l'air amusé de la frousse qu'il donne à son interlocuteur. Il n'a même pas l'air de croire à ce qu'il vient de dire. Non, il ressemble à un chat, désabusé, qui joue mollement avec une souris avant de l'achever. Sans grande conviction. Victor est étonné par cette attitude nonchalante. Ce n'est pas ainsi qu'il imaginait un obsédé sexuel. Et si tout cela n'était que du bluff? Que Bélair se contrôlerait suffisamment pour donner l'impression d'être normal? Pour lui soutirer plus d'informations, Victor simule le plus vif intérêt pour les révélations de l'avocat:

— Mais comment peut-on éviter le piège? Vous, quel moyen avez-vous utilisé contre cette fille?

— Sceptique, à ce que je vois. Puisqu'il vous faut une preuve tangible, je l'ai étranglée avec un petit collier en cuir que je lui ai offert. Contre elle et contre toutes les autres, c'est toujours la même technique. Une solution si simple et si facile à exécuter. En le lui passant au cou, je raconte à la fille que je désire lui faire un cadeau avant de m'amuser avec elle. C'est incroyable comme elles sont naïves. Je n'en ai encore jamais rencontré aucune qui ait refusé mon présent. Alors, je n'ai qu'à serrer très fort. Je peux aussi étouffer son cri en plaquant ma main sur sa bouche. Là, elle sursaute devant ma brusquerie, tente de me repousser avec ses griffes. Il faut se méfier de ses doigts crochus qui s'agrippent aux vêtements, à la peau. Mais, plus elle se débat, plus j'ai envie de la dominer. Sa folle agitation dure juste assez longtemps pour me permettre d'atteindre l'orgasme. Évidemment, il faut prendre soin de ne pas la tuer trop rapidement. Avec un peu de pratique, j'en suis arrivé à faire coïncider ces deux plaisirs.

— Un peu de pratique? répète Victor, écœuré.

Louis sourit de plus belle, mais sa voix reste calme, dépourvue de toute émotion. Il se montre aussi distant de cette histoire que s'il racontait une fable de La Fontaine. Avec une pointe d'ennui.

— Bien sûr! Vous l'avez justement remarqué tantôt, la route est longue d'ici Montréal; et elle est pavée de mes victimes! Avant qu'on retrouve un cadavre dans un fossé ou une rivière, il sera décomposé ou mangé par les bêtes sauvages. Je n'ai pas tenu le compte de mes succès, mais il y en a plusieurs.

— Jamais personne n'a posé de questions, auparavant? La disparition de ces filles ne peut quand même pas passer inaperçue!

— Détrompez-vous! Les employés du train sont payés pour ne rien voir et ils ne se surprennent pas de me retrouver seul au débarcadère. Pour eux, la fille est partie avant moi et s'est évanouie dans la foule.

— Mais, il y a tout de même quelqu'un qui s'inquiète d'elles?

Louis s'amuse franchement. Cet étudiant donne peut-être des signes d'intelligence, mais il semble aussi être d'une telle naïveté! Il boit ses paroles comme si elles sortaient tout droit de l'Évangile. L'avocat regrette presque d'être obligé de l'éliminer.

— La plupart d'entre elles n'ont pas de famille. Et, le cas échéant, il suffit d'inventer n'importe quoi pour éviter les questions superflues. Vous, par exemple, je sais que vous n'avez pas de parents. Madame O'Brien est une commère de premier ordre et n'a pas son pareil pour révéler les secrets de ses pensionnaires.

«Quand vous serez mort, qui s'en préoccupera? Vos enseignants de la faculté? Un simple avis d'abandon de cours envoyé au registraire les rassurera. Le directeur de la morgue? Une note annonçant votre démission réglera le problème. Et madame O'Brien? Je lui ferai parvenir le double de votre loyer en dédommagement et un mot d'explication, signé Victor Dubuc.

«Non, croyez-moi, personne ne se troublera de votre disparition après votre mort. Personne! Comme nul ne portera attention au coup de pistolet qui passera pour le claquement d'un autre bouchon de champagne. Il est d'ailleurs grand temps que je vous rende silencieux à jamais. Désolé, monsieur Dubuc, mais nous n'arriverons jamais à un accord convenable pour les deux parties!»

— Et les policiers? Leur enquête les mènera à vous. Si vous me tuez, vous devrez répondre d'un crime de plus.

— Ne vous inquiétez pas pour ça! J'ai assez d'expérience pour démolir tous leurs raisonnements. Je n'étais pas le seul avocat à bord du train. Ils ne possèdent aucune preuve irréfutable contre moi. Mais, vous, vous m'embêtez. Alors, adieu, monsieur Dubuc!

Appuyant la crosse du pistolet au creux de sa main gauche, il se convainc, qu'en tout état de cause, il n'a pas d'autre choix que de commettre ce nouveau crime. Malgré la sueur qui perle à la racine de ses cheveux, il ne tremble pas.

Un imperceptible plissement des yeux de l'avocat indique à Victor qu'il a, lui aussi, entendu un bruit dans le corridor. Combien de secondes de répit cela lui donne-t-il? Figé par l'indécision et cherchant désespérément une issue, il se sent incapable de réagir adéquatement.

Eugène a très vite succombé au balancement régulier du train. Tout le vin qu'il a ingurgité ce soir avec quelques amis pour arroser un repas gargantuesque a agi sur sa résistance. L'heure tardive n'aidant pas, il se sentait incapable de garder les yeux ouverts. Il sera toujours temps demain de questionner sa sœur.

Dans son coin, toute droite et sérieuse, Élise constate que son frère s'est endormi. Un ronflement concurrence bientôt le roulement du train. Mais elle, elle est parfaitement éveillée et furieuse. Elle ne parvient pas à croire que sa famille ne lui fasse pas confiance. Parler à un homme n'est pas un délit! Elle rumine sa déconvenue, se promettant de ne jamais l'oublier.

Le temps s'étire, interminable. Chaque fois qu'elle regarde sa montre, l'aiguille des minutes semble s'éterniser au même endroit. L'énervement pousse Élise à bouger, à marcher pour se changer les idées. Sans prévenir son frère, elle traverse cette section du wagon, où ils sont les deux seuls passagers, et emprunte le couloir menant à l'autre bout. Dans le passage, elle s'arrête devant une fenêtre, cherchant à voir à l'extérieur. La nuit noire l'empêche d'apercevoir quoi que ce soit. Elle poursuit sa promenade et, par les portes entrouvertes, elle constate que les compartiments sont inoccupés.

Elle pousse le vantail qui bloque le couloir et qui donne accès au dernier compartiment et à un minuscule cabinet d'aisances. Lorsqu'elle approche du lavabo pour s'y laver les mains, elle s'immobilise au son d'une voix. Convaincue de la reconnaître, elle se penche vers la porte et s'apprête à cogner, mais retient son mouvement au dernier instant.

Louis ne l'a pas prévenue qu'il prenait le train ce soir. Elle non plus, d'ailleurs! Sait-il seulement qu'elle s'absente de Québec pour trois mois? Sûrement pas. Son père doit préférer attendre qu'elle soit arrivée à destination pour le mettre au courant. Elle songe qu'il vaut mieux éviter toute discussion sur le sujet. Les explications risqueraient d'être longues et peut-être orageuses. Et il n'est pas seul. Inutile de le déranger!

Malgré sa résolution de regagner sa place, ses pieds sont rivés au sol. Elle perçoit clairement la voix d'un deuxième passager. Louis converse avec Victor. Elle s'alarme en pensant à l'affrontement qui se joue probablement derrière le battant. Elle refuse de s'en mêler, mais ne veut rien perdre du débat. L'oreille tendue vers eux, elle respire à peine, cherchant un sens aux paroles qui traversent le mur et le roulement du train pour l'atteindre en plein cœur.

Longtemps, elle reste ainsi, sans bouger, paralysée. En elle, le doute a cédé à l'incompréhension qui se transforme ensuite en répulsion avant de devenir de l'effroi. À la fin, frissonnante d'horreur, elle ne parvient pas à retenir un halètement qui soulage sa poitrine oppressée. Elle a l'impression que ses oreilles bourdonnent et elle ne se rend pas compte que le silence s'est installé dans le compartiment.

Avant qu'elle puisse réagir, la porte s'ouvre et elle est brutalement happée par le corsage. Louis se dresse devant elle, un pistolet braqué sur son front. Victor qui n'attendait qu'un geste de son adversaire pour lui sauter dessus dans l'espoir de le désarmer, s'arrête à mi-chemin en reconnaissant Élise. S'il ne désire pas être transpercé d'une balle, il le souhaite encore moins pour elle. Une détonation, au hasard d'un combat, risquerait trop de la blesser.

Tous les trois demeurent figés, hésitants sur la conduite à suivre. Élise, la première, recouvre la parole. L'air offusqué, elle interpelle son fiancé:

— Voyons, Louis! En voilà des manières! Je t'en prie, lâche-moi. Que penserait mon père s'il savait ça?

Malgré toute sa volonté, elle n'a pu empêcher sa voix de trembloter. Elle espère qu'il mettra cela sur le compte de l'émotion d'avoir été secouée aussi fortement et qu'il ne la soupçonnera pas d'avoir espionné sa conversation. Anxieuse, elle tente de le convaincre.

— En allant aux toilettes, j'avais cru reconnaître ta voix et j'allais frapper quand tu as ouvert. Que se passe-t-il, Louis? As-tu des ennuis?

Les mâchoires serrées, l'avocat ignore ses questions. Ses yeux expriment à la fois une grande tristesse et une colère contenue. Sa main n'empoigne plus le tissu, mais elle est simplement appuyée sur la poitrine de la jeune fille. Après un long moment d'immobilité, il scrute le corridor pour vérifier si personne n'a été alarmé par le bruit et retrouve son calme.

— Comme c'est déplorable que tu sois arrivée si mal à propos, ma chérie, décrète-t-il. Tu ne me donnes guère le choix!

— Maître Bélair, intervient Victor, vous avez toutes les raisons de m'en vouloir, mais il ne servirait à rien de mêler mademoiselle Vaillancourt à notre différend. Il vaudrait d'ailleurs beaucoup mieux qu'elle rejoigne les personnes avec qui elle voyage.

— Tiens, c'est vrai ça. Tu n'es sûrement pas montée à bord toute seule. Ton père ne l'aurait pas permis. Qui t'accompagne?

Prise au dépourvu, elle répond franchement:

— Eugène. En ce moment, il dort dans l'autre section.

Louis ricane en répétant à plusieurs reprises que tout est parfait. Il s'engage dans le corridor et y entraîne Élise qu'il oblige à pivoter pour la maintenir contre lui. Il passe son bras libre sous la gorge de sa fiancée et plaque le canon du pistolet contre sa joue droite.

— Sortez de la cabine, monsieur Dubuc! Vite, ou ma tendre amie le regrettera.

Victor les rejoint dans le couloir. Inquiet pour Élise, il tente encore de l'éloigner de ce guêpier.

— Elle n'a rien à voir avec notre affaire. Laissez-la partir. Ça vaudra mieux pour tous. N'étions-nous pas près d'une entente? C'est encore possible avec un peu de bonne volonté.

— En ce qui me concerne, la seule entente plausible réside dans votre disparition.

Élise ouvre des yeux encore plus horrifiés. Elle avait bien compris tout à l'heure que Louis s'apprêtait à tuer Victor, mais elle ne le croyait pas vraiment capable d'en arriver à cette extrémité. Maintenant, elle en est certaine, il l'exécutera, et de sang-froid!

— Mais pour votre fiancée? raisonne Victor. Vous ne pourrez pas toujours la forcer à se taire. Je sais qu'elle deviendra bientôt votre femme et que ça l'empêchera de vous dénoncer, mais... pendant combien de temps? Tandis que si vous vous reprenez en main, tout de suite, rien de grave ne s'est passé. On conclut un accord et on n'en parle plus.

Louis, sans hésiter, rejette cette procédure. La confiance n'est pas une vertu qu'il cultive. Il préfère régler les choses sur-le-champ et à sa manière.

— Mademoiselle Élise est une charmante demoiselle, ne pensez-vous pas? Sa peau si douce attirerait n'importe qui, vous le premier!

Serrant toujours Élise contre lui, il lui caresse la gorge et la joue du bout des doigts.

— Ne jurez pas que vous êtes insensible à ses charmes, je ne vous croirais pas. Après tout, il existe certaines rumeurs à propos de vos rapports avec ma fiancée. Elles sont à ce point insistantes que j'ai décidé d'y mettre un terme cette nuit. Allez, reculez jusqu'à la portière du wagon.

— Si je recule, que se passera-t-il par la suite?

— Vous tomberez tout simplement en bas du train en marche!

— Je ne vois pas en quoi ça empêchera les rumeurs de circuler. Ma mort n'est pas suffisante pour les effacer.

— Il ne s'agit pas de les effacer, raille Louis, mais de leur donner une tournure à mon avantage. C'est tout simple. Je découvre ma fiancée violentée par mon rival dans un compartiment voisin. Je fonce sur lui, mais trop tard pour sauver l'honneur de la pauvrette. La bataille s'engage et, comble de malchance, pour vous, durant la lutte, vous tombez hors du train en marche. N'oubliez pas que je vous dépasse d'une bonne tête, donc je suis plus fort que vous. Tout le monde croira à mon histoire. Et d'ailleurs, qui me contredira? Sûrement pas ma fiancée!

Victor ne peut accepter de mourir et marche sur l'avocat pour l'affronter immédiatement. Si une lutte doit avoir lieu, mieux vaut qu'elle se fasse tout de suite. Louis presse plus fermement le pistolet contre la joue d'Élise la forçant à pencher la tête vers la gauche.

— Dans ce cas, je l'abats! prévient-il pour repousser l'attaque de Victor. Encore un pas, et je la tue.

Ses yeux exorbités et la détermination marquée sur son visage obligent Victor à freiner son élan. Élise, figée par la peur, n'émet aucun son.

— D'accord, je recule, accepte précipitamment Victor, mais ne la serrez pas aussi fort.

— Oui, concède Louis en relâchant son étreinte, il serait regrettable qu'elle souffre par votre faute. Allez, reculez gentiment. Encore un peu. Maintenant, ouvrez la portière.

Victor, réduit à l'impuissance, se soumet avec lenteur. Après trois pas en arrière, il s'engage dans l'ouverture qui donne accès au vestibule. Il réfléchit désespérément au moyen de retarder l'échéance. Ne trouvant rien de mieux, il agite la poignée de la portière et ment:

— Ce doit être barré, je ne parviens pas à ouvrir.

Louis émet un grognement rageur:

— Débrouillez-vous sinon, tant pis pour elle!

Au même instant, le vantail qui isole cette section du wagon est poussé par Eugène. Réveillé par une secousse du train, il était inquiet de ne pas apercevoir sa sœur auprès de lui. Se jugeant responsable d'elle, il a fouillé les compartiments pour la retrouver. Éberlué, l'air incrédule, il fixe l'étrange trio. Tout se passe trop vite pour qu'il en saisisse le sens.

Victor lui intime de s'éloigner tandis que Louis braque son pistolet en direction du nouvel arrivant. Eugène avance encore machinalement. La main de Louis tremble fébrilement, crispée sur la poignée de l'arme. Élise lâche une plainte recouverte par la double détonation. Eugène ressent une vive douleur dans le bras qu'il a levé comme un bouclier. Sa tête est projetée en arrière sous la force de l'impact et heurte violemment le côté de la porte qui n'a pas eu le temps de se refermer tout à fait. Louis lâche un juron en le voyant crouler par terre. Sous le crâne d'Eugène, le sang tache le plancher.

Élise, la voix brisée par l'émotion, gémit en appelant son frère. Victor esquisse un mouvement vers elle, vite réprimé par Louis qui s'écrie en appuyant de nouveau son arme sur la jeune fille:

— Ne bougez pas! Je serai obligé de la tuer si vous approchez! Reculez et ouvrez cette maudite porte! Je ne plaisante pas.

L'énervement le rend plus agressif. Il serre tellement son bras autour du cou d'Élise qu'elle ne parvient plus à respirer. Il la traîne devant lui tout en s'approchant de Victor. Il veut vérifier par lui-même ses agissements.

— Je ne la lâcherai que lorsque la porte sera ouverte. Allez!

— D'accord, d'accord! s'empresse d'obtempérer Victor. Voilà, c'est fait! Lâchez là, maintenant, elle étouffe.

Louis permet à la jeune fille de respirer à nouveau, mais elle est affaiblie et, toute résistance l'abandonnant, elle pend mollement à son bras. Seul le clignement de ses yeux prouve à Victor qu'elle est vivante.

— Sortez! ordonne Louis. Vous pouvez sauter ou descendre les marches, ça m'est égal, mais sortez.

Victor s'accroche aux deux montants de l'échelle latérale et descend jusqu'au dernier barreau. L'air vif lui fouette le visage, réveillant en lui un appel à la vie. Il n'a nul désir de lâcher prise. Le gravier, sur lequel les rails sont posés, file sous lui à une vitesse vertigineuse. Victor devine, dans l'ombre, le fossé qui le sépare des premiers arbustes. En admettant qu'il ne se rompe pas le cou en touchant le sol, il risque fort de se briser autre chose et de ne jamais obtenir du secours à temps pour sauver Élise.

Après sa propre mort, ce sera son tour à elle, il en est convaincu. Mais pourquoi Louis ne lui tire-t-il pas dessus? Agrippé à l'échelle, il refuse de sauter.

Les forces d'Élise fléchissent à tel point qu'elle s'affaisse dans les bras de Louis qui la dépose par terre. Pendant qu'elle reprend son souffle, son fiancé l'enjambe rapidement pour mettre un terme aux atermoiements de Victor.

— Allez, un peu de cran et sautez!

D'un solide coup de pied, il tente de faire lâcher prise à Victor. Celui-ci l'évite partiellement en se penchant à droite, mais, atteint à l'épaule gauche, ses doigts du même côté glissent sur la tige de métal glacé.

Il bascule pour se redresser tandis qu'un deuxième coup de pied le frappe en pleine poitrine. Retenu seulement par sa main droite, il sent ses pieds déraper sur le barreau. Parvenant à retarder la chute fatale, il plaque sa main gauche sur la droite et tient fermement le montant. Redoublant d'ardeur, Louis martèle de son talon les doigts du malheureux tout en se défoulant verbalement:

— Vous êtes trop curieux! Tant pis pour vous! Pourquoi fallait-il que vous fourriez votre nez dans mes affaires? Pourquoi?

Agressé aussi sauvagement, Victor résiste autant qu'il le peut. Il est balancé par les soubresauts qui le secouent à chaque attaque. Ses pieds plongent finalement vers la terre qu'ils frappent en saccades irrégulières.

Élise sort de sa torpeur et se lève à demi en tremblant.

— Louis! Je t'en supplie! Arrête! Ne le tue pas!

À genoux, elle agrippe le dos de Louis qui pivote à moitié et la repousse fermement.

— Je n'ai pas le choix! se justifie-t-il. Maintenant, il faut que j'aille jusqu'au bout. C'est de sa faute, aussi. Je ne peux pas le laisser tout découvrir.

Victor serre les dents et plie les bras pour se hausser sans toutefois être précipité sous les roues. Louis se penche vers lui avec l'intention de le forcer à lâcher le montant de l'échelle. Poussé par le désespoir, Victor réussit à attraper d'une main un pan de la veste de Bélair. Au même moment, Élise revient à la charge. Cette fois, elle pousse sur les jambes de Louis qui perd l'équilibre. Tiré en même temps par Victor, il pique du nez à l'extérieur en hurlant de terreur. Victor desserre son étreinte juste à temps pour ne pas être emporté avec lui.

Allongée à plat ventre, Élise rampe vers l'ouverture et tend une main tremblante vers Victor. Elle parvient à le saisir par la manche, mais n'a pas la force suffisante pour le ramener à son niveau. Elle sent qu'il lui échappe. Des plaintes étouffées sortent de sa bouche, tandis que des larmes de rage coulent sur ses joues. Elle s'en veut d'être aussi faible. Elle se reproche la chute de Louis. Elle pleure la mort de son frère.

Victor essaie en vain de reprendre appui sur les barreaux, mais ses pieds frôlent dangereusement les roues à chaque tentative. De plus, il sait que, s'il tire trop sur Élise, il risque de la précipiter elle aussi dans le vide. Si seulement sa main gauche pouvait atteindre le montant, il augmenterait ses chances. Mais ses forces l'abandonnent, ses doigts se relâchent.

Un appel lancé de l'intérieur ravive ses espoirs et le stimule à tenir un instant encore. Dans l'obscurité, il ne voit que la silhouette de l'homme qui s'incline audessus d'Élise pour emprisonner sa main dans la sienne. En deux mouvements de reins, le nouveau venu hisse Victor jusqu'au palier. À moitié couché, les jambes encore ballantes au-dessus du vide, le rescapé respire à pleins poumons l'air embaumé par la présence si proche d'Élise. À proximité d'eux, l'âme charitable qui l'a secouru s'accroupit en gémissant:

— Mais qu'est-ce qui se passe? Où est Louis? Qu'est-ce qui lui a pris de tirer sur moi?

Reconnaissant la voix, Victor lève les yeux sur Eugène. Le front marqué par une large trace de sang, le frère d'Élise se frotte le crâne en grimaçant, preuve irréfutable qu'il est vivant. Élise, agitée de tremblements nerveux, se lève et, allongeant le bras vers une manette, elle la secoue fébrilement. Un retentissant signal sonore enterre le bruit des roues. La seconde suivante, le train amorce un arrêt en catastrophe.

Déséquilibrée, Élise tombe à genoux auprès de son frère qui la presse contre lui. Retenant à peine ses sanglots, elle le met au courant de la situation. Eugène est consterné par ces révélations. La mort de Louis l'assomme, mais ses agissements meurtriers le bouleversent complètement. Il ramasse le pistolet qui gît dans un coin. Malgré sa ressemblance avec un jouet, cet objet n'en est pas moins meurtrier. Il vérifie le barillet et constate qu'il a écopé des deux seules balles qu'il peut contenir.

13

Aux petites heures du matin, le train a repris sa route vers Montréal, mais avec quatre passagers de moins. L'un d'eux a été transporté à la morgue et les autres ont été amenés au poste de police de la rue Saint-Paul à Québec. À leur arrivée, Victor est confié à Grondin pour son interrogatoire tandis qu'Élise et Eugène sont conduits dans le bureau du chef de police. Impassible, le capitaine Poirier a déjà écouté sans émotions apparentes les doléances du député Bélair. Lui ainsi que le docteur Vaillancourt ont été prévenus du terrible malheur et, accourus à la hâte, ils discutent des mesures à prendre.

Visiblement ébranlé, le père de Louis exige avec emportement l'arrestation et l'inculpation immédiate du criminel qui a assassiné son fils. Le chef de police, désireux d'entrer dans les bonnes grâces d'un personnage aussi haut placé, souhaite le satisfaire, sans toutefois se montrer trop servile. Il se contente d'opiner du bonnet, ce qui ne réussit qu'à exciter davantage le député. Le docteur, plus pondéré, tente de le calmer par des paroles apaisantes, même si, au fond, il croit, lui aussi, avoir matière à se plaindre. N'avait-il pas formellement interdit à son étudiant de revoir sa fille? Alors que manigançait donc celui-ci dans le train? La conclusion lui saute aux yeux. Victor Dubuc, en cherchant à s'approcher d'Élise, a été pris en flagrant délit par Louis. Un affrontement en a résulté et le drame était quasiment inévitable.

Prêtant une oreille distraite aux plaintes de Valmore, le docteur n'accorde qu'un regard désapprobateur à sa fille lorsqu'elle entre dans le bureau. Il s'empresse plutôt d'examiner les blessures de son fils. Il défait les pansements de fortune appliqués par Victor et constate que, heureusement, la première balle ne s'est logée qu'en surface du bras et la seconde a glissé sur le crâne, laissant une éraflure plus évidente que dangereuse.

— Je vais bien, proteste Eugène en se libérant des soins de son père.

— Ce n'est pas le cas de mon pauvre Louis, glapit Bélair. Il n'a pas eu la chance d'échapper à son bourreau. Un fou! Un dangereux malade! Il a osé s'attaquer à mon fils, l'avocat du peuple. Louis qui s'est toujours porté à la défense des plus démunis! Il fallait un dégénéré pour agir d'une manière aussi ignoble.

Élise regarde son frère avec lassitude. Ce qu'ils ont à révéler ne plaira pas au député. Comment le convaincre de ce qui semble inconcevable, même après l'avoir vécu? Eugène interrompt avec prudence les lamentations du père éploré.

— Pardonnez-moi, monsieur Bélair, mais au risque de vous choquer, je me dois de rectifier certains faits. Je n'ai pas été blessé par monsieur Dubuc. C'est Louis qui m'a tiré dessus. Il a pointé son arme vers moi et...

Valmore Bélair bondit de son siège et apostrophe le docteur.

— Votre fils a perdu la tête. Ses blessures y sont sûrement pour quelque chose. Soignez-le pour qu'il cesse de divaguer.

— Mon frère dit vrai, intervient Élise pour défendre Eugène. C'est Louis qui avait perdu la tête. D'ailleurs, a-t-il jamais été normal?

Pendant un court instant, le député reste muet, soufflé par ce jugement inattendu. Soudain, le rouge de ses joues se ravive et il tempête contre elle:

— Comment pouvez-vous porter un tel affront à la mémoire de votre fiancé? Je vous ouvrais les bras pour vous accueillir au sein de ma famille comme ma propre fille et le cadavre de mon fils n'est pas encore figé dans la mort que vous bafouez son nom et salissez sa mémoire. Comment osez-vous?

Élise se redresse, toute blême, et rive ses yeux dans ceux de son ancien beau-père.

— Ce n'est pas à moi, c'est à Louis qu'il fallait poser cette question. Comment a-t-il pu? Comment a-t-il pu causer autant de mal et s'en réjouir à chaque fois? Comm...

Le chef de police lui coupe sèchement la parole.

— Présentement, la cause qui nous intéresse est l'assassinat de maître Louis Bélair. Tenez-vous-en à cette affaire!

— Non, ce n'est pas un assassinat, mais un geste de légitime défense, proteste Eugène. Louis a tenté de tuer Victor Dubuc, ma sœur et moi-même, et il s'en est fallu de peu qu'il réussisse. Monsieur Bélair, je devine à quel point tout ça vous accable. Je comprends votre difficulté à accepter une telle éventualité, mais les faits sont les faits. Louis m'a tiré dessus sans raison évidente. Élise a été gravement malmenée et a failli suffoquer. Tandis que monsieur Dubuc a passé près d'être écrasé par les roues du train. Tout ça parce que Louis l'avait décidé ainsi.

— Ridicule! s'époumone le député.

— Sa conduite s'explique peut-être, marmonne malgré lui le docteur.

Le chef de police, qui ne veut pas perdre le contrôle de la situation, estime que l'affaire prend une tournure insoupçonnée et décide de remettre les choses au point.

— Toute cette malheureuse histoire ne se serait pas déroulée si monsieur Dubuc n'avait pas cherché à revoir mademoiselle. D'après votre père, elle n'a pas encouragé sa liaison, pas... consciemment!

— Mais ça n'a rien à voir avec ce qui s'est passé! s'exclame Élise. Ce n'est pas moi qu'il venait rencontrer dans le train, mais Louis. Et d'ailleurs, ils n'ont jamais prononcé mon nom quand ils discutaient. Non! Ils parlaient des meurtres que Louis a commis. J'ignore combien de filles il a tuées. Tout ce que je sais, c'est qu'il s'en vantait. Et ça semblait tellement l'amuser! Louis était un assassin, un horrible assassin. Père, ajoute-t-elle en se jetant dans ses bras, j'allais épouser un assassin!

Malgré le hochement de tête d'Eugène pour confirmer l'affirmation d'Élise, personne n'est convaincu. Au contraire, les nerfs à vif, les deux pères ont des réactions violentes.

— Votre fille est hystérique! Faites-la soigner, si vous en êtes incapable vous-même, vocifère Bélair. Mieux, enfermez-la, ça l'empêchera de colporter des stupidités.

— Je vous prie de surveiller votre langage, Valmore. La perte de Louis est aussi douloureuse à ma fille qu'à vous et votre famille. Ce n'est ni la colère ni les réprimandes qui la ramèneront à la réalité.

Insultée par le peu de confiance que démontrent les paroles de son père, Élise se dégage brusquement de son étreinte. Elle essuie les larmes qui mouillent ses lèvres. Sans ciller, elle prononce lentement le verdict de culpabilité:

— Je n'ai rien inventé. Louis a avoué ses actes horribles à Victor Dubuc, et c'est pour cette raison qu'il a essayé de nous éliminer. Parce que je l'ai entendu. Parce qu'Eugène est arrivé au mauvais moment. Parce que monsieur Dubuc sait tout. Nous étions des témoins embarrassants. Oh! s'il avait réussi, ce n'est certes pas ainsi qu'il vous aurait présenté la chose. Aussi horrible que ça puisse vous sembler, Louis a commis plusieurs meurtres.

— Mais de quels meurtres parlez-vous?

Le capitaine Poirier accepte enfin la possibilité de ces assassinats, sa longue expérience dans la recherche des coupables lui ayant appris à ne se surprendre de rien. Il est prêt à envisager l'affaire sous un autre angle, si on le lui prouve, évidemment. Il rétablit d'abord l'ordre et le calme.

— Je n'endurerai aucune excitation dans ce bureau. Prenez chacun un siège et calmez-vous! Alors, mademoiselle, vous la première, rapportez-moi ce que vous avez entendu ou cru entendre.

Élise est impressionnée par les yeux bleu gris qui la scrutent froidement. Elle sent que chacune de ses paroles sera analysée et notée par cet homme grisonnant, au visage rasé de près laissant clairement apparaître des traits fins et intelligents. Elle s'assoit sur le bout de la chaise, le corps droit, ses mains blanches serrées nerveusement l'une contre l'autre. Lentement, contrôlant ses émotions, elle expose ce qu'elle a découvert. Elle parle de Louis, qu'elle croyait si bien connaître et qui pourtant disait des choses inconcevables. Elle étale devant eux l'horreur qu'elle a éprouvée quand elle a entendu son effroyable confession. Elle démontre la violence dont son fiancé était capable par les gestes qu'il a posés pour se débarrasser d'elle, de Victor et d'Eugène.

Lorsqu'elle se tait, le capitaine doit user de son autorité pour retenir Valmore Bélair. Roulant des yeux effarés, le député réfute violemment ces accusations. Quand il consent enfin à adopter une attitude plus modérée, c'est au tour d'Eugène de témoigner. Il corrobore les déclarations d'Élise, du moins pour ce qui est de la tentative d'assassinat à son endroit et le sauvetage *in extremis* de Dubuc.

Le capitaine Poirier n'est pas encore convaincu. Les liens familiaux donnent parfois naissance aux pires mensonges quand il s'agit de se protéger l'un l'autre. S'il désire connaître le fond de l'histoire, il a besoin de plus que cela.

Ses yeux d'acier examinent le frère et la sœur qui se tiennent cois. Eugène ne laisse paraître aucune émotion. En tant qu'avocat, il en a vu d'autres. Cette muette tentative d'intimidation ne l'ébranle pas. Élise, plus émotive, demeure néanmoins sûre d'elle. La vérité éclatera, elle en est convaincue. À leurs côtés, le docteur Vaillancourt cache ses sentiments. Seule, la trop forte pression que ses doigts exercent sur le pommeau de sa canne trahit son combat intérieur. Il avait foi en Louis. Il était prêt à lui donner ce qu'il a de plus cher, un de ses enfants, sa fille chérie. Il ne peut pas supporter l'idée qu'il ait pu être abusé.

Un peu à l'écart, sa chaise repoussée près du mur, le député Bélair ronge son frein. D'un naturel sanguin, il contrôle difficilement ses états d'âme. Pour s'empêcher de crier à l'infamie, il presse un poing frémissant sur ses lèvres.

— Je suis désolé pour les menottes, mais j'ai reçu l'ordre de vous les laisser, s'excuse Grondin.

Assis de l'autre côté du bureau, Victor penche la tête. Les coudes appuyés sur ses cuisses, il laisse pendre mollement ses mains attachées. Il a tout raconté: son enquête personnelle, son affrontement avec Bélair, les révélations de celui-ci.

— Alors, on va m'accuser du meurtre de l'avocat! Je n'étais tout de même pas pour le laisser m'abattre sans réagir!

— Je n'ai pas dit ça. Mais avouez que vous vous êtes placé dans de beaux draps. Enfin, si les Vaillancourt corroborent vos dires, vous ne risquez rien.

— Vous ne me croyez pas?

— Que je vous croie ou non n'a aucune importance: je ne suis qu'un simple agent de police. C'est le grand patron qu'il faut convaincre. Et ce ne sera pas si difficile, parce que tout se tient.

La déposition de Victor concorde avec sa propre enquête. Le policier aussi en était venu à la conclusion que Boudrias a été tué parce qu'il en a trop vu sur le train. Quoi exactement, on ne le saura jamais, mais c'était suffisant pour l'éliminer! Cela réduisait donc la liste des suspects aux occupants du train; liste dont Bélair faisait partie. Le policier n'avait pas établi un lien entre la marque sur la gencive de la morte et les bagues de finissants en droit, mais il avait en main un élément tout aussi incriminant: la fausse lettre de Boudrias à son père. En vérifiant l'écriture de tous les passagers, il avait espéré découvrir l'auteur du message.

— La meilleure preuve de la culpabilité de l'avocat, reprend Grondin, c'est qu'il a essayé de tuer Élise et Eugène Vaillancourt, ainsi que vous-même. J'ai examiné le pistolet de Bélair: un vrai jouet. Un petit calibre à la gâchette beaucoup trop sensible! Le genre d'arme sur lequel on ne peut pas se fier, car il peut partir au moindre tremblement. Ça fait des dégâts sans être vraiment meurtrier.

— Alors, nous ne risquions pas réellement notre vie. Je parle surtout pour mademoiselle et maître Vaillancourt. Il ne voulait peut-être que les effrayer?

— Vous oubliez qu'il a bel et bien tiré sur Eugène.

Victor accepte mal l'idée que Louis ait vraiment eu l'intention de tuer sa fiancée et son futur beau-frère. Il se raccroche à une impression qu'il a ressentie lorsque Eugène est arrivé de façon si inopportune.

— Mais sa main tremblait! Le coup est peut-être parti sans qu'il le veuille. Bélair semblait à la fois surpris et désemparé quand Eugène a poussé la porte. Et quand son beau-frère est tombé par terre, il y avait de la panique dans ses yeux ou plutôt du regret.

Grondin hausse les épaules.

— On paniquerait à moins que ça! Se faire prendre sur le fait durant un crime...

— Il avait l'air désolé d'en arriver à une telle extrémité. Et avec Élise, il s'est montré brusque, d'accord, mais pas réellement brutal.

— Il l'a pourtant jetée par terre et a manqué de l'étouffer!

— Non, il l'a déposée et quand il la serrait, c'était nerveusement, avec maladresse, mais sans haine ou méchanceté.

— Êtes-vous en train de prendre sa défense? Cet homme-là était un dangereux criminel. Un maniaque qui vous a avoué plusieurs meurtres sadiques.

Les yeux rivés sur Grondin, Victor secoue la tête:

— C'est là que j'ai des doutes. Il m'a plutôt raconté une histoire comme celle qu'on invente pour endormir les enfants. Alors qu'il me parlait de sa jouissance, il n'avait même pas l'air de trouver ça excitant! Il paraissait complètement détaché, indifférent. Ça n'avait aucune importance pour lui.

Le policier soupire d'exaspération:

— Écoutez, nous possédons des victimes, un coupable et un motif plus que raisonnable! Qu'est-ce que vous voulez de plus? Pourquoi aurait-il imaginé une fable à dormir debout? Pour que vous le trouviez intéressant? Pour s'amuser de vous?

— Je ne sais pas pourquoi! Mais j'ai la conviction que tout cela n'était que mensonge, qu'il essayait de me berner, de m'entraîner dans la mauvaise voie. Parce que... parce que, juste avant de mourir, il a dit à Élise que je devais mourir pour que je ne découvre pas tout! Donc, que je ne savais rien ou si peu. Sinon, il aurait plutôt dit qu'il voulait m'empêcher de tout révéler. Mais il a dit découvrir!

Grondin sourit d'un air désenchanté:

— Sa langue aura fourché?

— Bélair est un avocat, habitué de plaider en cour, je le vois mal se tromper de mot.

— Vous aimez vous compliquer la vie, vous! Quelles que soient ses motivations, il n'en demeure pas moins que l'on peut prouver avec certitude que maître Bélair a assassiné Joséphine et Boudrias, qu'il a blessé monsieur Vaillancourt, qu'il s'en est pris à vous et à mademoiselle Vaillancourt. De plus, il avait invité une autre jeune fille à le rejoindre à bord, peut-être pour la tuer elle aussi.

Victor ne peut que se rendre à l'évidence: tout cela suffirait largement à incriminer n'importe qui. Il reste songeur quelques instants avant de demander soudainement:

— Avez-vous fouillé les poches de Bélair? Est-ce qu'il avait un billet de retour?

Grondin vérifie dans le dossier et affirme:

— Oui, il en avait même deux.

— Alors, vous voyez! se réjouit Victor. Il n'avait pas l'intention de tuer la prostituée qui devait l'accompagner à Montréal. On n'achète pas un billet pour une morte!

— À moins qu'on lui trouve une remplaçante pour le voyage de retour, objecte le policier.

— Et un collier? Est-ce qu'il avait un collier de cuir sur lui? C'est avec ça qu'il était supposé étrangler les filles.

— Non, il n'y avait rien dans ses poches qui ressemblait à un collier ou à un lacet de cuir. Mais ce n'est pas absolument nécessaire pour étrangler quelqu'un, les mains suffisent!

L'étudiant est déboussolé. Louis n'avait aucune raison de lui mentir puisqu'il voulait se débarrasser de lui. Se débarrasser de lui pour éviter qu'il découvre quelque chose. Une information que personne, même pas les policiers, ne pouvait trouver. Bélair ne craignait pas une enquête policière, il l'a laissé entendre assez clairement, mais la curiosité de Victor!

Valmore Bélair tressaille violemment lorsque la porte s'ouvre livrant le passage à Victor. Menottes au poing, sa casquette à la main, le jeune homme entre dans le bureau du chef de police d'un pas hésitant. Grondin tend un dossier au capitaine Poirier qui le parcourt rapidement. Dans son ensemble, cela correspond à ce que les deux rejetons Vaillancourt ont affirmé. Mais les détails fournis par cet étudiant intriguent le policier par leur précision. Il pose sur lui un regard flegmatique.

— D'après votre déposition, vous soutenez que maître Louis Bélair a assassiné une fille dénommée Joséphine Provost, un employé de la compagnie ferroviaire, Boudrias, ainsi qu'un nombre indéterminé de prostituées! Voilà tout un tableau de chasse pour un homme honorable!

— Tout ça n'a aucun sens! se fâche le député. Mon fils n'est pas un criminel, mais un avocat respecté. Ce ne sont que des mensonges!

Le chef de police n'apprécie pas tellement la sortie de Bélair et le prévient de se calmer, sinon il devra quitter la pièce. Le député se cale dans son siège. Les joues rouges, les yeux furibonds, il lance un regard mauvais à Victor qui a reconnu le père de Louis. Sa photo est souvent apparue en première page du journal.

Avant que Poirier ne reprenne la parole, Grondin se penche vers lui et lui donne des explications à l'oreille. Le capitaine lit avec plus d'attention quelques pièces du dossier. Puis, il se tourne vers le frère d'Élise.

— Monsieur Vaillancourt, prêtez-moi un instant votre bague de finissant.

Eugène est surpris, mais il la lui remet pourtant sans émettre une seule remarque. Poirier l'examine un instant et la compare avec un croquis. Aucun doute, ils concordent.

— Ceci ressemble point pour point à une marque qui était sur la gencive supérieure de la Provost, consent-il enfin à commenter. On peut donc certifier que c'est une bague semblable à celle-ci qui s'y est imprimée.

— Mais qu'est-ce que ça prouve? s'énerve Valmore Bélair.

Le corps incliné vers l'avant, le capitaine explique comme un enseignant à un enfant à l'esprit lent.

— C'est la signature de l'assassin. On peut présumer que, pour étouffer les hurlements de sa victime, il a appliqué son poing sur la bouche ouverte de la fille. Le dessin de la bague qu'il portait s'est incrusté dans la gencive. Le meurtrier était un avocat puisqu'il possédait une bague de finissant en droit.

— Mais des avocats, il y en a des centaines, riposte Bélair avec logique. Pourquoi mon fils plus qu'un autre?

Victor, qui était resté silencieux jusque-là, affirme:

— Parce qu'il me l'a avoué. Parce qu'il était sur le train de Montréal-Québec dans la nuit du 17 au 18 septembre dernier.

— Ridicule! rejette aussitôt le député. Il y a des tas de gens qui prennent le train de nuit pour revenir à Québec, même des avocats. Aucune personne sensée ne croira un seul instant vos divagations. Tout ça n'est qu'un tissu de mensonges, des calomnies honteuses. Vous paierez cher votre ignoble conduite.

Pendant que Bélair dénonce et menace verbalement l'étudiant, le docteur Vaillancourt, en homme de science méticuleux, s'approche du croquis pour l'examiner. La bague de son fils correspond fidèlement à la marque relevée lors de l'autopsie. Cette révélation bouleverse toute sa pensée. Sa fille n'a donc rien imaginé. Ce qu'elle a rapporté des aveux de Louis est véridique. Pour éliminer toute incertitude qui pourrait encore subsister dans son esprit, il coupe la parole à Valmore.

— Est-ce que Louis se trouvait dans le train qui est arrivé ici le 18 au matin?

Sa voix qui paraît calme et posée cache de l'amertume et de la rage. Trompé par le flegme du docteur, Bélair esquive la question.

— Vous n'allez tout de même pas porter foi aux racontars de ce fou. Non seulement il a tué mon fils, mais il essaie en plus de lui mettre sur le dos des actions monstrueuses! Vraiment, Théophile, comment pouvez-vous accorder une once d'attention à ce mensonge éhonté?

— Mes enfants n'ont pas pour habitude de mentir, Valmore! Et tous deux ont failli succomber grâce aux bons soins de Louis.

— Et mon fils est mort! beugle le député. Alors, qu'est-ce que ça peut changer qu'il ait pris le train, le 18? Ce n'est pas un crime de prendre le train!

— Mais c'en est un d'y étrangler une fille et d'y agresser des jeunes gens! répond le docteur d'une voix sourde.

Valmore visualise pleinement la portée de ces paroles. Son fils est accusé de meurtres et de tentatives de meurtre, mais son cœur de père dénonce désespérément un autre coupable. Pour lui, c'est la faute de ce petit gueux. Sans l'intervention de ce jeunot, la honte et l'opprobre ne rejailliraient pas sur les Bélair. À cause de ce gamin, le public le montrera du doigt. Le déshonneur qui risque de ruiner sa vie politique le mortifie bien autrement que l'atrocité des gestes reprochés à son fils. Pourquoi tant de tracas pour une putain? Cédant à sa fureur, il se jette sur Victor. Serrant ses mains grassouillettes sur la gorge du jeune homme, il le force à basculer sur le plancher.

Surpris par cette masse qui l'assaille et l'étouffe, Victor perd l'équilibre et tente en vain de repousser l'homme qui s'abat sur lui en l'invectivant furieusement. Il faut les efforts combinés de Grondin, du capitaine et d'Eugène pour le libérer. Sur les joues du député des larmes de rage ruissellent. Les dents serrées, il jure que l'étudiant se repentira un jour de tout le tort qu'il lui cause.

Pendant qu'on se charge de ramener Valmore Bélair à un état plus normal en le forçant à s'asseoir, Victor reste affaissé au sol. Il ne s'attendait pas à une réaction aussi violente. Une voix douce et attentionnée le force à réagir:

— Vous n'avez rien? Ça ira?

Au-dessus de lui, Élise le dévisage avec inquiétude. L'orgueil de Victor le remet rapidement sur ses pieds. Il se sent déjà suffisamment humilié d'avoir à se présenter devant elle avec des menottes qu'il ne désire pas en plus exhiber la moindre faiblesse. Il saisit aussi le regard sévère du docteur rivé sur lui. Le père d'Élise n'apprécie pas que celle-ci démontre un peu trop de bienveillance à son égard. Pour lui éviter toutes remontrances futures, Victor s'obstine à ne pas la regarder et fixe son attention sur le député qui frémit.

Secoué par cette sordide histoire et par les conséquences désastreuses que cela entraînera pour son avenir politique, Bélair quémande des yeux une porte de sortie pour éviter le scandale. Le capitaine Poirier, habitué à flairer les situations délicates, lui présente une chance d'esquiver ce coup dur. Il tend une perche secourable au député, à lui de s'en emparer, car il ne renouvellera pas cette occasion.

— Monsieur Bélair, désirez-vous toujours porter plainte contre Victor Dubuc pour le meurtre de votre fils?

Le député halète. Bien sûr, qu'il veut se plaindre et châtier l'assassin de Louis. Pourtant il n'est pas sot. Il sait que l'enquête et le procès signifient révélations publiques. La presse se jettera sur les dénonciations qui, obligatoirement, surgiront durant les plaidoyers et les interrogatoires. Pareils à des vautours se chamaillant pour une charogne, les journalistes se régaleront de toutes les informations morbides sur les agissements de son fils. Non, il ne peut pas risquer toute sa carrière pour une amère vengeance. Il secoue la tête avec déception et chagrin.

Le capitaine approuve cette sage décision et résume ainsi la situation:

— Puisqu'aucune accusation n'est portée contre monsieur Dubuc et qu'il m'apparaît évident que cette mort résulte d'un acte de légitime défense, je considère l'affaire classée.

Il prend la déposition de Victor et la déchire devant le député. Le capitaine n'a que ce commentaire laconique.

— Votre fils a péri dans une malheureuse chute que personne n'a pu prévenir.

Valmore Bélair, le visage défait, se lève péniblement et, sans un mot, sort à pas lents. Il comprend que rien ne sera divulgué. Il n'a qu'un regard pour Victor, un seul regard qui extériorise à la fois toute sa haine et son désarroi. Le docteur Vaillancourt attend qu'il se soit éloigné avant d'enjoindre ses enfants à le suivre. Eugène reprend possession de sa bague, mais Élise, ébranlée par la rapidité avec laquelle l'officier règle la situation, ne bouge pas de son siège.

— Et pour les meurtres des filles et de l'employé du train, qu'arrive-t-il?

— Il semble que le coupable ait été puni, conclut le chef de police. Et franchement, je n'ai nulle envie d'ébruiter cette nouvelle. Les corps des présumées autres victimes n'ont jamais été retrouvés, donc ces morts n'existent pas pour moi. Quant à Boudrias, il a été attaqué par un vulgaire voleur non identifié. Tandis que la prostituée a probablement voulu mettre fin à ses jours et s'est jetée devant le train.

— Un suicide! se rebiffe Élise. Non, vous ne pouvez pas! Avez-vous songé un seul instant que c'est un péché impardonnable devant Dieu. Cette pauvre fille est une victime innocente, et vous l'accablez en plus d'une faute grave qu'elle n'a pas commise. Mais vous n'avez pas de cœur!

La chaleur et la véhémence de sa défense touchent Victor. Oubliant sa retenue, il abonde dans son sens.

— Mademoiselle Vaillancourt a raison. Mademoiselle Joséphine n'était peut-être pas une personne respectable sur tous les plans, mais ce n'est pas une raison pour empêcher qu'elle reçoive les derniers sacrements et repose en paix au cimetière. Vous savez qu'une accusation de suicide la priverait de ce droit.

— Si ça vous dérange autant, cède le capitaine, je vais inscrire au dossier qu'elle était trop ivre pour se comporter d'une manière raisonnable. Elle s'est endormie sur les rails et a été écrasée par un train.

À regret, Élise accepte cette conclusion. Tandis que le docteur et sa famille quittent le bureau accompagnés par le chef de police, Grondin enlève les menottes de Victor. Celui-ci jette un regard désabusé aux feuilles éparses du dossier déchiré.

— Tout ce travail pour rien! Quel gâchis! Et on ne sait même pas pourquoi Bélair a agi ainsi.

— Vous doutez encore de sa culpabilité?

— Non, de sa motivation! murmure Victor.

Ses doigts déplacent les bouts de papier qu'il parcourt des yeux comme s'il espérait y découvrir un élément nouveau qui l'éclairerait davantage. Ou qui disculperait l'avocat. Peine perdue, maître Bélair est réellement inscrit sur la liste des passagers. Deux fois, même!

Quand le capitaine réintègre son bureau, il toise Victor:

— Jeune homme, à l'avenir, j'apprécierais que vous ne vous mêliez pas de nos affaires. Quand on détient un renseignement, on se contente de le divulguer aux autorités compétentes. Votre initiative s'est avérée catastrophique. Une mort d'homme aurait pu être évitée, si vous aviez agi autrement. Allez, partez! Et qu'on ne vous revoie plus dans les parages.

Victor s'esquive, la mort dans l'âme. Il est conscient que tout a mal tourné. Sa maladresse a failli coûter la vie à Élise et à Eugène, sans parler des risques qu'il a lui-même courus. Et pourquoi? Pour un semblant de justice sommairement exécutée! Louis Bélair a péri, mais son honnêteté et son innocence ne seront jamais mises en doute.

En sortant du poste, il voit la voiture du docteur stationnée à quelques pas. Élise y est déjà installée.

Eugène tient la porte pour laisser passer son père. Le docteur, en apercevant Victor, s'approche de lui.

— Monsieur Dubuc, gronde-t-il à quelques pouces de son visage, les yeux rivés dans ceux de l'étudiant, je n'ai pas pour habitude de revenir sur une décision. Ce que je vous ai stipulé l'autre jour tient encore. Cette nuit, ma fille a vécu une situation éprouvante. Sous aucun prétexte, je ne permettrai à quiconque de profiter de la fragilité émotionnelle qui en découlera. N'essayez pas d'entrer en contact avec elle. Vous pourriez le regretter amèrement.

Le ton glacial du médecin pénètre en Victor comme une lame d'acier. Il devine que, s'il ose le bafouer, son avenir tombera à l'eau, car son professeur veillera à ce qu'il ne termine pas ses études. L'allusion ne pouvait être plus claire. Stoïque, il accepte le conseil. L'œil morne, la tête vide, dans la pénombre de la nuit, il fixe sans vraiment la voir la voiture qui s'éloigne. Il ne saura jamais qu'Élise s'est étiré le cou pour l'observer de ses yeux tristes, jusqu'à ce que la berline disparaisse au coin de la rue. Elle n'a pas entendu l'avertissement de son père à Victor. Ce n'est pas nécessaire, elle connaît la ligne de conduite paternelle. Elle sait qu'elle ne reverra plus l'étudiant.

Avec des mouvements d'automate dus autant à la souffrance morale que physique, Victor contourne la haute-ville. La peur et l'énervement l'ayant quitté, il ne reste en lui que des courbatures dans tous les membres, des élancements dans le dos, des plaies aux mains et une fatigue écrasante s'apparentant vaguement à de la déprime. Il n'a aucune conscience du trajet qu'il emprunte et ne sort des vapeurs de sa léthargie qu'en passant devant le salon de madame O'Brien.

Réunies dans cette alcôve à peine éclairée, les filles ressemblent à des nymphes. Vêtues de leurs atours légers et provocants, elles se pressent l'une contre l'autre dans une attitude langoureuse. Debout derrière Rose-Aimée qui a pris place sur le divan, Sabrina l'entoure d'un bras protecteur. Assise à ses côtés, Angélique se blottit contre Lolita qui lui joue distraitement dans les cheveux. La patronne, recouverte d'une robe de chambre en voile de plusieurs épaisseurs qui laisse malgré tout deviner sa généreuse anatomie, leur passe, de toute évidence, un savon dont elles se rappelleront.

Avant l'entrée de Victor, la brave dame, ayant découvert que Rose-Aimée n'était pas partie pour Montréal, tonnait fort mais, à la vue de son pensionnaire, les mots bloquent dans sa gorge. Tous les yeux sont tournés sur lui. Mal à l'aise, il baisse la tête et remarque enfin son état lamentable. Il est sale et couvert de poussière; ses souliers sont grugés sur le dessus; des traces de sang tapissent ses mains. Il sent qu'il doit dire quelque chose, pour s'excuser d'être aussi peu présentable.

— Maître Bélair est mort! annonce-t-il comme si cela expliquait tout.

— Doux Jésus! s'exclame madame O'Brien. Lequel? Le père ou le fils?

Victor demeure un instant muet. Il n'en connaît qu'un seul.

Est-il possible que le député Bélair, avant de se lancer en politique, ait pratiqué le droit? La logeuse confirme son hypothèse en ajoutant même que Valmore Bélair a déjà plaidé pour sa défense dans sa prime jeunesse.

Cela expliquerait-il la présence des deux maîtres Bélair inscrits sur la liste des passagers? Le père et le fils! Alors, le député se trouvait lui aussi dans le train! A-t-il eu connaissance des agissements coupables de Louis?

Épuisé et écœuré de tourner et retourner toute cette affaire dans sa tête, Victor monte à sa chambre. Il n'y est que depuis quelques instants lorsqu'on frappe à sa porte. Il ouvre à Angélique qui lui tend l'onguent qu'il lui avait prêté pour soigner ses blessures.

— Tenez! J'en n'ai plus besoin.

Il reste immobile, bouche ouverte. Il avait oublié les ecchymoses de la fille, celles de Joséphine. En aucun temps, quand Louis relatait sa relation avec la victime, l'avocat n'a mentionné le fait qu'il l'avait battue. Et pourtant, elle avait des marques sur le corps, non pas causées par le train, qui ne l'a pas frappée, mais par son agresseur. Louis ne parlait que de caresser doucement la peau chaude de la prostituée avant de l'étrangler.

— Vous n'en voulez pas? insiste Angélique en tendant toujours le pot.

— Oui, oui, merci. J'étais dans la lune.

— Ah! Dites, je voudrais pas avoir l'air curieuse, mais... l'homme qui est mort c'était Monsieur Louis? Celui qui était avocat?

— En effet! Ça vous fera un client de moins.

— Des clients comme ça, j'aime autant m'en passer! C'est pas tellement à cause de lui, remarquez, mais l'autre, l'homme qu'il nous a emmené servir... un vrai malade! Ben, vous le savez, vu que vous m'avez soignée. Bon, je vais vous laisser vous reposer.

Elle tourne les talons. Victor observe son dos maigre tandis qu'elle descend les marches. Avant qu'elle ne disparaisse à l'étage inférieur, il lui demande:

— Comment s'appelait l'autre client?

— Monsieur Val.

Il referme lentement la porte. Louis avait raison. Seul Victor, qui habite dans ce bordel, pouvait découvrir cette information. Valmore Bélair est un sadique qui prend plaisir à brutaliser des filles de joie. Voilà ce que le fils tenait absolument à cacher. Au point même de tuer! Qui a assassiné Joséphine? Le père dans un moment d'égarement ou le fils pour la contraindre au silence éternel et éviter le scandale à sa famille? Quelle importance! Le résultat est le même.

Un peu plus tard, lorsque Victor se laisse couler dans la baignoire remplie d'eau chaude, un léger cliquetis le prévient que quelqu'un joue avec la serrure. Sans un mot, Rose-Aimée se faufile dans la salle de bains. La clé sur les lèvres, elle lui fait signe de se taire. Elle s'agenouille près de lui et murmure:

— J'ai une grosse dette envers vous. Vous allez voir, vous serez pas perdant.

Elle l'embrasse sur l'épaule, le bras, la poitrine, le cou. Victor ne résiste pas. Il la regarde se déshabiller et le rejoindre dans l'eau. Son parfum l'enivre, son corps l'excite. Il s'abandonne à ses mains expertes en se disant qu'il aurait dû accepter bien avant cela.

ÉPILOGUE

Dans les journaux, la mort de maître Louis Bélair a occupé une place de choix. Chacun s'accorde pour convenir qu'il s'agit d'un terrible accident et pour plaindre le pauvre député Bélair. Un avenir tellement brillant s'ouvrait devant son fils! La communauté québécoise est émue par sa disparition subite et brutale. Tomber en bas d'un train en marche parce que, dans le noir, on ouvre la mauvaise porte, c'est à la fois ridicule et tragique.

Valmore Bélair, bouleversé par ce deuil, s'est d'abord terré dans sa maison de campagne, refusant obstinément d'énoncer tout commentaire sur le sujet. Mais les lamentations de sa femme l'indisposant au plus haut point, il est revenu à la vie politique. La foule l'a accueilli à bras ouverts et l'ovationne à chaque discours qu'il prononce. C'est sa façon à elle de le soutenir dans le malheur. Quel beau présage pour les prochaines élections!

D'ailleurs, le décès de son fils a engendré un autre effet bénéfique. Au début, décidé à s'isoler et à renoncer à tout, Valmore a vendu toutes ses actions de la Compagnie du pont de Québec. Une âme charitable et intéressée, croyant flairer une bonne affaire, lui en a offert un prix dérisoire en regard de leur valeur initiale. Cette transaction lui a évité de tout perdre, puisque la compagnie, s'embourbant financièrement, a déclaré faillite peu de temps après, laissant sur la dèche tous les actionnaires.

Le docteur Vaillancourt n'a pas été épargné par la chute de la compagnie mais, comme il ne comptait pas vraiment sur ses actions pour s'enrichir, cela n'a guère modifié son train de vie. Ce qui le dérange davantage, c'est de voir Élise tourner en rond dans la demeure paternelle. Toute la famille la surveille, épie ses moindres gestes, interprète de travers ses soupirs. Harassée par autant de prévenances, la jeune fille préfère déménager. Elle croit qu'un séjour chez sa marraine lui apportera la paix et la tranquillité tant désirées. Loin de la ville, elle espère oublier. Oublier Louis et toutes les horreurs qu'il a commises. Oublier Victor et sa gentillesse.

Avec le temps, tout rentre dans l'ordre. Aucun obstacle ne vient déranger la mise en scène de la fin de Louis, de Boudrias, de Joséphine qui se retrouvent ensemble dans l'autre monde pour régler eux-mêmes leur différend. Personne, presque personne ne s'y est opposé. Il n'y a eu que le docteur Sirois pour regimber. Il trouvait inacceptable de cacher la vérité. Il a grondé, s'est rebiffé, a exhorté le chef de police à revenir sur sa décision. Mais en vain. Il a fallu tout le pouvoir de conviction de son confrère Vaillancourt pour qu'il accepte finalement de se taire. Par respect pour le chagrin d'Élise, il a plié.

De toute cette histoire, le grand perdant est Robitaille. La compagnie, ayant découvert qu'il avait parfois tendance à disparaître pendant les heures de travail, l'a mis à la porte. Depuis sa sortie de prison, il cherche un emploi.

Quant à Victor, la vie suit son cours normal avec le lot habituel de travail et d'étude. Il n'a parlé à personne de ses suppositions sur le député Bélair. Qui le croirait? D'autant plus que le dossier est classé. Il doute que le capitaine Poirier ait envie de déterrer l'affaire. L'étudiant a seulement demandé à Grondin de le tenir au courant si jamais on trouvait des cadavres de filles entre Québec et Montréal. Malgré toutes les recherches, aucun n'a été découvert.

La seule amélioration tangible au sort de Victor se manifeste par la présence occasionnelle de Rose-Aimée dans son lit. Quand il a l'argent nécessaire, il l'invite à le rejoindre au deuxième étage de la pension. Elle lui fait un prix d'ami. Docile, elle lui apporte des instants de volupté.

Pourtant ces plaisirs ne se situent qu'à fleur de peau. Quand il ferme les yeux, le visage d'Élise, son regard sombre, sa lourde chevelure brune, sa bouche volubile et sa peau d'ivoire s'imposent malgré son désir de s'en détacher. Avec le temps, peut-être y parviendra-t-il?